GEIRIAU A GERAIS

Geiriau a Gerais

T. Llew Jones

Gomer

Argraffwyd yn 2006 gan Wasg Gomer,
Llandysul, Ceredigion SA44 4JL

ISBN 1 84323 754 7
ISBN-13 9781843237549

Dymuna'r cyhoeddwyr gydnabod cymorth
Adrannau Cyngor Llyfrau Cymru.

Argraffwyd a rhwymwyd yng Nghymru gan
Wasg Gomer, Llandysul, Ceredigion SA44 4JL

Cynnwys

Rhagair

Cerddi sydd wedi mynnu aros yn fy nghof dros gyfnod maith o amser yw'r rhan fwyaf o gynnwys y casgliad hwn. Maent wedi aros oherwydd rhyw arbenigrwydd a berthyn iddynt – rhyw bertrwydd ymadrodd neu ryw fiwsig geiriol. Cerddi o natur delynegol ar fesur ac odl ydynt bron i gyd. Onid cerddi felly sy'n hawdd eu cofio? Ni lwyddodd y cof i gadw'r cyfan chwaith. Fe erys rhyw un pennill o ambell gerdd ar gof ar ôl i'r gweddill fynd yn angof. Dyna'r pennill rhyfedd hwn,

> A phedwar cychwr ieuanc
> A'm dwg dros erwau'r lli
> I erw las yn Ynys Môn
> I gadw'r oed â hi.

Pwy biau'r geiriau? Pwy oedd 'hi'? Holais y diweddar Athro Bedwyr Lewis Jones ond ni wyddai ddim am y gân.

A beth am y delyneg brydferth honno a wobrwywyd yn eisteddfod Rhydlewis amser maith yn ôl? 'Dychwelyd' oedd y testun, ac er ein bod y tro hwn yn gwybod enw'r awdur, eto dim ond un pennill a erys yn y cof (ac yn fy nghof i yn unig mae'n debyg). Roedd y bardd, y diweddar Gwilym Ceri Jones wedi canu i'r carcharor rhyfel Eidalaidd yn dychwelyd i'r Eidal o Gymru wedi'r rhyfel.

> Yn ôl dros gulfor perl Mesina,
> Hyfryd dychwelyd wedi'r drin;

Rhydd Mair Fendigaid ei thiriondeb eto
I lasu'r winllan grin.

Bu chwilio mawr am y gân gyfan, ond dim ond yr un pennill sy'n dal i ganu yn y cof.

*   *   *

Mae'n debyg fod eisiau egluro pam y mae'r mwyafrif mawr o'r cerddi yn y casgliad hwn ar fydr ac odl – yn sonedau, telynegion ac yn y blaen, ac ychydig iawn yn y Wers Rydd a'r Wers Rydd Gynganeddol. Yr ateb syml yw bod cerddi ar fesur rheolaidd a rhai sy'n odledig yn llawer mwy tebygol o aros yn y cof.

Rhythmau'r cerddi, ynghyd â geiriau unigol neu gyfuniad o eiriau sy'n creu'r miwsig a wna gerdd yn gofiadwy, ac mae ar ei gorau pan fydd yn cael ei llefaru'n uchel ac yn mynd o'r tafod i'r glust ac o'r glust i'r galon.

Rwyf wedi clywed beirdd godre Ceredigion yn trafod droeon y cwestiwn a yw cerdd yn *canu* ai peidio. Dyma'r math o sgwrs a glywir er enghraifft rhwng beirdd sy'n cwrdd ar ôl yr Eisteddfod:

'Beth am yr awdl?'

'O mae'r awdl yn dda.'

'Ydy, mae'n dda, ond dyw hi ddim yn *canu*.'

*   *   *

Fe fu llyfrau barddoniaeth Gymraeg yn gwerthu, ar un cyfnod, yn well o lawer na llyfrau barddoniaeth

Saesneg yn Lloegr a thros y byd. Cofiaf ddarllen adolygiad ar waith rhyw fardd yn y *Times*. Meddai'r adolygydd, 'His first book of verse was a success, it sold 600 copies' Chwe chan copi! A'r farchnad eang oedd ar ei gyfer! Y mae Crwys yn sôn yn ei ragair i'w drydedd gyfrol am werthiant o dros ugain mil. A faint oedd gwerthiant *Yr Haf a Cherddi Eraill, Cerddi'r Gaeaf, Cerddi a Baledi, Telynegion Maes a Môr*, i enwi dim ond rhai.

Erbyn hyn mae diddordeb Cymry cyffredin mewn barddoniaeth wedi pylu'n arw iawn. Ymddengys nad oes cymaint o ddysgu rhigymau a phenillion ar y cof yn digwydd yn ein hysgolion bellach ag a fu slawer dydd. Colled y plant yw hyn, wrth gwrs. Nid yw'r Ysgol Feithrin yn rhy gynnar i'r disgyblion ymglywed â'r miwsig sydd mewn geiriau – yn enwedig geiriau Cymraeg.

Mae yna duedd i feio'r Wers Rydd am y ffaith fod llai o werthu a darllen llyfrau o farddoniaeth nag a fu. Mae hyn siŵr o fod yn wir, ond mae gennym eithriadau gwyw,

> I ble yr ei di fab y ffoedigaeth,
> A'th gar salŵn yn hymian ar y rhiw . . .

Mae cred fod gormod o gerddi 'ysgolheigaidd' yn cael eu cyhoeddi. Mae hyn wedi bod yn wir yn hanes llawer o gerddi'r Goron yn yr Eisteddfod Genedlaethol. Ond mae'r bardd enwog Robert Burns yn amau gwerth llawer o ysgolheictod i'r gwir fardd. Meddai yn un o'i gerddi:

'Give me one spark of Nature's fire,
That is all the learning I desire;
Then, though I drudge through puddle and mire
At plough or cart,
My Muse, though homely in attire,
May touch the heart.'

Ond y prif reswm am y lleihad yn y diddordeb mewn barddoniaeth efallai yw bod y llif Saesneg cynyddol wedi gwanhau gwreiddiau'r Gymraeg. Er bod y beirdd wedi cadw a gloywi eu geirfa er lles eu crefft, mae erydu cyson yn digwydd yng ngeirfa'r Cymry 'cyffredin', a'r duedd felly yw i'r gagendor rhyngddynt fynd mor fawr nes iddynt fethu deall ei gilydd.

Cais i osgoi neu o leiaf ohirio hyn yw'r casgliad hwn. Gobeithio y bydd yn drysor i chi, fel y bu'r cerddi sydd ynddo yn drysor i mi ar hyd y blynyddoedd.

Llew Jones

Be ydi Barddoni?

Barddoni ydi
Bod mewn cors hyd at eich gwddw
Yno'n suddo, yno'n geirio,
A neb o gwbwl yn gwrando.

Barddoni ydi
Sefyll yn wynebu clogwyn
Yn gweiddi, gweiddi yno
A dim oll yn dod odd'no
Ond eco.

Barddoni ydi
Bodoli mewn tywyllwch,
Neu grafu o gwmpas mewn llwch . . .

'Pam, felly, gwneud hyn oll?'

Cwestiwn da,
Wel, y mae o, welwch chi,
Yn rhywbeth i'w wneud
On'd ydi?

Gwyn Thomas

Clychau'r Gog

Dyfod pan ddêl y gwcw,
    Myned pan êl y maent,
Y gwyllt atgofus bersawr,
    Yr hen lesmeiriol baent;
Cyrraedd ac yna ffarwelio,
    Ffarwelio, – Och! na pharhaent.

Dan goed y goriwaered
    Yn nwfn ystlysau'r glog,
Ar ddôl a chlawdd a llechwedd
    Ond llechwedd lom yr og
Y tyf y blodau gleision
    A dyf yn sŵn y gog.

Mwynach na hwyrol garol
    O glochdy Llandygái
Yn rhwyfo yn yr awel
    Yw mudion glychau Mai,
Yn llenwi'r cof â'u canu,
    Och na bai'n ddi-drai!

Cans pan ddêl rhin y gwyddfid
    I'r hafnos ar ei hynt
A mynych glych yr eos
    I'r glaswellt megis cynt,
Ni bydd y gog na'i chlychau
    Yn gyffro yn y gwynt.

R. Williams Parry

Brysia Fai

Brysia, Fai, mae gennyf nyth
  Eisiau'i chuddio ar lôn Llangewydd;
Dros y brigau du yn syth,
    Bwrw glog o lasddail newydd.

Gwn na fu y saer yn ddoeth,
    Y gŵr du â'r pigyn melyn,
I ddewis llwyn sy'n hanner noeth,
    Yn lle diogelwch y pren celyn.

Ond yma mae y nyth yn awr,
    A'r gwynt a'r llanciau'n gweld y cwbwl;
Rhwng plantos bach a thywydd mawr,
    Hawdd dychmygu'r loes a'r trwbwl.

Oeda, Fai, os mynni'n hir
    Cyn creu'r byd i gyd o newydd,
Ond er ein mwyn ni'n dau, yn wir,
    Brysia, brysia i lôn Llangewydd.

Wil Ifan

Y Fedwen

I lawr yng nghwm Cerdin
Un bore braf, gwyn,
A Mawrth yn troi'n Ebrill
A'r ŵyn ar y bryn;
Ni welais un goeden (ni welaf, rwy'n siŵr)
Mor fyw ac mor effro,
Mor hardd yn blaguro,
Â'r fedwen fach honno yn ymyl y dŵr.

A'r haf yng nghwm Cerdin
Fel arfer ar dro,
A'r adar yn canu
A nythu'n y fro,
Ni welais un goeden (ni welaf, rwy'n siŵr)
Mor llawn o lawenydd,
A'i gwyrddail mor newydd,
Â'r fedwen aflonydd yn ymyl y dŵr.

A'r hydre'n aeddfedu
Yr eirin a'r cnau,
A'r nos yn barugo
A'r dydd yn byrhau,
Ni welais un goeden (ni welaf, rwy'n siŵr)
Mor dawel a lliwgar
A'i heurwisg mor llachar,
Â'r fedwen fach hawddgar yn ymyl y dŵr.

A'r gaea' 'mro Cerdin
A'r meysydd yn llwm,
A'r rhewynt yn rhuo
Drwy'r coed yn y cwm,
Ni welais un goeden (ni welaf, rwy'n siŵr)
Er chwilio drwy'r hollfyd, –
Mor noeth ac mor rhynllyd
Â'r fedwen ddifywyd yn ymyl y dŵr.

T. Llew Jones

Ha' Bach Mihangel

I fyny'r dyffryn fe'i gwelais yn dod
Mor debyg i'r Haf ag y gallai fod,

Gan ddiog hamddena'n yr haul ar y rhiw,
A'r tes yn chwarae ar ei wisgoedd lliw.

Guto yn llewys ei grys ar y das
A'r gwyddau'n rhodianna'n y soflydd cras.

Ni ddaeth i feddwl neb yn y byd
Fod dim ond hawddgarwch dan ei gochl clyd,

Nes clywed y cynydd â'i dalihô
Yn galw'i fytheuaid i goed y fro.

Alun Cilie

Dawns y Dail

Fe waeddodd Gwynt yr Hydref,
    Mae'n waeddwr heb ei ail,
'Dewch i sgwâr y pentre i gyd
    I weled dawns y dail.'

'Rwy'n mynd i alw'r dawnswyr
    O'r perthi ac o'r coed,
A byddant yma cyn bo hir
    Yn dawnsio ar ysgafn droed.'

I ffwrdd â Gwynt yr Hydref
    Â'i sŵn fel taran gref,
Ond cyn bo hir fe ddaeth yn ôl
    A'r dawnswyr gydag ef.

Oll yn eu gwisgoedd lliwgar
    O'r glyn a choed yr ardd,
Rhai mewn melyn, gwyrdd a choch
    A rhai mewn porffor hardd.

A dyna'r ddawns yn cychwyn!
    O dyna ddawnsio tlws!
A chlywais innau siffrwd traed
    Wrth folltio a chloi'r drws.

Ond pan ddihunais heddiw
    'Roedd pibau'r gwynt yn fud,
A'r dawnswyr yn eu gwisgoedd lliw
    Yn farw ar gwr y stryd.

T. Llew Jones

Y Wennol

Unwaith eto yn yr henfro
   Wedi'r siwrnai bell,
Ti sy'n deffro hen obeithion
   Am yfory gwell.

Gwyn dy fyd, heb brofi gaeaf
   Gyda'i nosau hir,
Ciliaist cyn i'r blodau wywo
   Draw i heulog dir.

Welaist ti 'mo'r eira'n disgyn
   Dros y bondo llwyd;
Welaist ti mo'r elor honno
   Yma wrth y glwyd.

David Davies

Nythod y Brain

Mae stryd o dai yng nghoed Blaen-cwm,
    A'r mamau'n dweud eu pader,
Y plant i gyd yn cysgu'n drwm
    A'r gwynt yn siglo'r gader.

Ni fu yr un cynllunydd fry
    Yn trefnu'r mesuriadau,
Dim ond rhyw saer mewn dillad du
    Fu'n codi'r adeiladau.

Cadwyd telerau'r 'Cyngor' – do,
    Parchwyd pob deddf a rheol,
Gofalwyd codi'r tŷ bob tro
    Yn ddigon pell o'r heol.

Rhyw syllu tua'r nen a'r ddôl
    Y maent 'run fath â'r llynedd,
Disgwyl i'r heuwr ddod yn ôl,
    Dyna i chwi amynedd!

Isfoel

Aderyn mewn Cawell

Paid â gofyn iddo ganu
    Pan fo drws ei gell ynghlo;
Heb un gangen iddo'n llwyfan,
    Heb un ddeilen iddo'n do.

Paid â disgwyl clywed miwsig
    Yn dylifo dros ei big
Pan fo'r bychan rhwng y barrau,
    Wedi colli côr y wig.

Pwy all ganu oddicartref?
    Dos, ac agor iddo'r ddôr,
A chei weld yn tiwnio'r tannau,
    Aelod arall yn y côr.

John Williams

Cywydd Ateb i gywydd Aderyn Du
Llew Jones

(Un haf pan oeddwn yn byw yn Nhŷ'r Ysgol, Coedybryn fe'm swynwyd gan ganu aderyn du arbennig a ganai hwyr a bore mewn llwyn cyfagos. Roedd e mor arbennig fel y recordiais ei gân a hawlio ar raglen radio mai ef oedd y pencampwr. Cytunodd y naturiaethwr T. C. Walker â mi ar ôl gwrando'r tâp. Lluniais gywydd i'r deryn, ond cododd hynny wrychyn Dic Jones ac Alun Cilie. Hawlient fod ganddynt hwy adar duon cystal os nad gwell yn eu cylchoedd hwy. Gan Dic y cafwyd yr ymateb cyntaf and wedyn daeth y 'bombshell' fawr o'r Cilie. Mae cywyddau Dic a minnau ar glawr, ond am y tro rhaid rhoi'r llwyfan i'r maestro o'r Cilie. Ar ôl i'w gywydd ef fy nghyrraedd aeth yr Aderyn Du o Goedybryn yn bynciwr digon cyffredin!)

Pob croeso i Garuso'r wig,
Y dihafal bendefig,
Aderyn Llew draw'n y llwyn
Ledio alaw o dewlwyn
Yn ddyddiol tu ôl i'r tŷ
'N ei ddu ŵn i ddiddanu
Ei fos â pheraidd fiwsig
Am ei gaws ac am ei gig.

Rwy'n gwybod ei fod efe,
Y barwn bach ben bore
Â'i chwisl aur yn croch slyrio
O'r nef fry'n ffefryn y fro,
A hyfryd hwyl ei frwd dôn
O'u gwâl yn troi'r trigolion.

Ond Llew, er mor ddidwyll o
Gresyn am dy Garuso,
Am fod wag, nid wy'n bragian,
Tywyll ei got, Llew, a gân
Im ganwaith yn amgenach
O'i berth na'th Garuso bach,
Hwyliog gân heb daflu cig
Iddo fel gŵr bonheddig.
Enwog geiliog du'r Cilie
A di-fost ei wawd efe.

Medrus a dawnus denor
A'i fawl ym Mai fel y môr,
Ail organ yn nail irgoed
Y cwm ei rigwm erioed.
Haydn y wawr uwch siffrwd nant,
Iarll eurbib côr y llawrbant,
Am sboncio grymus bencerdd
Â'i dŷ'n y cyll, dewin cerdd,
Cadfridog coed y frodir,
Gloyw ei siant, Sargent y sir,
Aer o waed coch a bridiog
Ymysg ynn fforest Cwmsgôg;
Artist na fu ei bertach
A theyrn y berth yw'r un bach,
Yma gedy'n ei dŷ dail
Wedi'r gawod, o'r gwiail,
Â sgôb ei lais ysgubol,
Holl lu'r allt ymhell ar ôl.

Cân corn hwn concro ni all
Un aderyn du arall.
Ni chafodd un ferch ifanc
Hardd ei llun, yng ngherdd ei llanc
Serenâd mor gariadus
Ag alaw hwn o'i deg lys
Ar y sgêl yn cwafrio'i sgôr
I'w wejen yn E Major.

Am ei onest orchestion
Ni bu'r BBC yn sôn,
Na 'run Walker yn rhico
Traw ei lais naturiol o.
Ar ei seld lloriai sildyn,
A bore walch Coed-y-bryn,
Ofer waith yw iddo fry
Â'i huodledd gystadlu,
Arno mwy rwy'n ymhŵedd
Y clodus swanc ildio'i sedd,
A rhoed, Duw a'i gwaredo
O'i lwyn tal ei ffidl yn to.

Brigyn celyn fu coleg
Y llais gwych, arllwysa o'i geg.
Ei gain dôn sy'n ddigon da
I fyned i Vienna;
Neu gipio rhai o 'laurels'
Enwoca sêr Saddlers Wells,
Nid yw pur nodau parabl
Helen Watts yn ail i'w nabl;

13

Twymach na Richie Tomos
O'r dail ir ei opera dlos,
A gwnâi'r 'chum' pe gwenai'r 'chance'
Hafog o Geraint Ifans.

O'i fflat pan dry i ffliwtio
Aria'r frest, adar y fro
Ânt yn swrth a mud tan swing
Solo eirias ei larings.
Ar dâp un record o hwn,
Ein hoff artist, fai'n ffortiwn.

Alun Cilie

Caethglud yr Ebol

Echdoe, ar y Frenni fawr,
Mor rhydd â'r dydd y'm ganed,
Prancio'n sŵn y daran groch,
A'm mwng yn wyn gan luched.

Neithiwr, gyda Jaci'r gof,
Yn gwylltu'n sŵn yr einion,
A ffwrdd â mi wrth reffyn tyn
I'm gwerthu'n rhad i borthmon.

Heno, ar olwynion chwyrn,
Yn mynd – heb symud gewyn,
A chlawdd a pherth a chlwyd a chae
Yn dirwyn heibio'n llinyn.

Mynd yr wyf heb wybod b'le,
Na deall iaith y porthmon,
Ond gwn nad hon oedd iaith y gof
A'm molai wrth yr einion;

A gwn, pe cawn fy nhraed yn rhydd
A'r rheffyn hwn yn ddatglwm,
Mai'n ôl yr awn i gyda'r wawr
I'r Frenni fawr ddiorthrwm;

Lle mae'r hedydd bach a ddôi
Hyd at y brwyn i'm deffro
Lle mae'r nant a neidiwn gynt
Pan own i'n ebol sugno.

War yng ngwar â'r ebol broc
Sy'n pori'r hen oleddau,
Yno carwn innau fod
A'r borfa dros fy ngharnau.

Cofiaf byth y gynffon hir
A'r llethrau ir di-berchen,
Tra bo gwinau 'mlewyn byr,
A seren ar fy nhalcen.

Ffarwél byth, y Frenni fawr,
Yn iach, fy nghyd-ebolion,
Gwae i minnau weld na gof,
Na ffrwyn, na ffair na phorthmon.

Crwys

16

Wedi'r Glaw

Di-hedd oedd y praidd ers dyddiau
    Yn crwydro'n y moelydd crin
Am flewyn ir, a digalon
    A bloesg eu brefiadau blin.

Nid oedd ffos na pherth na therfyn
    Yn rhwystro'u newynog hynt,
A bratiau eu gwisgoedd yn hofran
    Ar bigau'r gwifrau'n y gwynt.

Ond wedi dy ddyfod neithiwr
    A bendith dy wlith hyd lawr,
Mae hedd a llonyddwch heddiw
    Hyd foelydd yr Hafod Fawr.

Alun Cilie

Y Llwynog

Mi welais innau un prynhawn
    Dy hela yn y dyffryn bras,
Gan wŷr a merched, cŵn a meirch,
    Y lledach dlawd a'r uchel dras;
Gwibiaist o'm gwydd fel mellten goch
A'th dafod crasboeth ar dy foch.

Yn unig druan o flaen llu,
    Yn llamu'r ffos yn wyllt dy hynt;
Y llaid ar dy esgeiriau llyfn,
    A chorn y cynydd ar y gwynt;
O'th ôl roedd Angau'n agosáu,
O'th flaen dy ryddid di a'th ffau.

Rwyt yn ysbeiliwr heb dy fath,
    Pa beth yw deddfau dyn i ti?
Ni wn a dorraist ddeddfau'r Un
    A blannodd reddf dy natur di;
Ond gwn na chei, ffoadur chwim,
Gan ddyn na chŵn drugaredd ddim.

Mynnwn pe mynnai'r Hwn a wnaeth
    Dy goch ddiwnïad siaced ddrud,
A luniodd dy 'ryfeddod prin'
    It gael dy ddwyn yn iach i'th dud,
I'r creigiau tal ar grib y bryn,
A fflam dy lygaid eto 'nghyn.

Mi fûm mewn pryder oriau hir,
    Ond daeth llawenydd gyda'r nos
O wybod mai oferedd fu
    Dy hela di hyd waun a rhos,
A'th fod yn hedd y rhedyn crin,
Â'th ben ar bwys dy balfau blin.

I. D. Hooson

Cotiau Coch Gogerddan

Yn gynnar, yn gynnar, rhwng cangau y coed
Y cerddai yr awel yn ysgafn ei throed;
A brysiai y wawr tros lechwedd y bryn
I ysgwyd y barrug o flodau'r glyn.
Ond ust! dan y deri mae dolef hir
Yn deffro'r adsain yng nghreigiau'r tir;
Mae corn yr heliwr yn galw'n glir
Ar gotiau coch Gogerddan.

Ar garlam, ar garlam, o fynydd a rhos,
Daw mab y pendefig a'i eneth dlos,
Dros y llidiardau ar doriad y wawr
Ar alwad y corn dan y derw mawr.
Pob un ar ei farch – y gorau a gaed,
A'r mellt yn cynnau o dan eu traed;
Hen Gymry o dafod, a Chymry o waed,
Oedd cotiau coch Gogerddan.

Gweryru, gweryru, wna'r meirch ynghyd,
A chyfarth, a chyfarth, wna'r cŵn i gyd,
Ar amnaid y corn dan y derw mawr
Mae cant o bedolau yn palu'r llawr.
A dacw hwy'n cychwyn i'w difyr hynt,
Gan neidio'r afonydd heb weld y pynt;
A chroesi mynyddoedd mor gyflym â'r gwynt
Wnai cotiau coch Gogerddan.

Carlamu, carlamu, dros hanner y byd,
A phlant y pentrefi yn edrych yn fud;
Mae'r hogyn penfelyn yn crynu gan fraw
Wrth sŵn y pedolau o'r pellter draw.

Tali ho! dacw'r llwynog i'w weld yn glir,
Â'i gynffon fel comed yn croesi'r tir;
Ond dilyn a dilyn y gynffon hir
Wnai cotiau coch Gogerddan.

Dychwelant, dychwelant, o fynydd a rhos,
Tuag adre', tuag adre', bob un gyda'r nos;
A sŵn y pedolau wrth daro'n y pant
Yn torri ar heddwch breuddwydion y plant.
Ymgomio, ymgomio, heb gynnen na chas,
Ond calon wrth galon, bendefig a gwas;
Ac ail hela'r llwynog yn neuadd y plas
Wnai cotiau coch Gogerddan.

J. J. Williams

Tylluanod

Pan fyddai'r nos yn olau,
   A llwch y ffordd yn wyn,
A'r bont yn wag sy'n croesi'r dŵr
   Difwstwr ym Mhen Llyn,
Y tylluanod yn eu tro
Glywid o Lwyncoed Cwm y Glo.

Pan siglai'r hwyaid gwylltion
   Wrth angor dan y lloer,
A Llyn y Ffridd ar Ffridd y Llyn
   Trostynt yn chwipio'n oer,
Lleisio'n ddidostur wnaent i ru
Y gwynt o Goed y Mynydd Du.

Pan lithrai gloywddwr Glaslyn
   I'r gwyll, fel cledd i'r wain,
Pan gochai pell ffenestri'r plas
   Rhwng briglas lwyni'r brain,
Pan gaeai syrthni safnau'r cŵn,
Nosâi Ynysfor yn eu sŵn.

A phan dywylla'r cread
   Wedi'i wallgofddydd maith,
A dyfod gosteg ddiystŵr
   Pob gweithiwr a phob gwaith,
Ni bydd eu Lladin, ar fy llw,
Na llon na lleddf, 'Tw-whit, tw-hw!'

R. Williams Parry

Llygoden

Lleddais un a dyllodd y sach, – ond daeth
    Eto un gyfrwysach;
  Mae hon off heb – myn yffach! –
  Ei dala byth, y diawl bach!

Gŵyl a hefyd gor-glyfar, – o dalent
    A gwaedoliaeth byrglar;
  Nid â yn bell o'i 'daear' –
  Ei dinas deg o dan stâr.

Isfoel

Chwilio

(yr ast, wedi boddi ei chŵn bach)

Chwilio, heb gael ei cholwyn
Yn y gwellt, a mynych gŵyn.
Un sŵn mwy nid oes yno,
Chwaith na'i gwynfan egwan o.

O'i galar ni fyn aros, –
Ffroeni tyllau cloddiau'r clôs,
O fan i fan, i fyny
I dŷ'r tarw, o'r ffald i'r tŷ.

Rhed yn syn a thyn ei thor
Heibio i ddrws y sgubor,
Ac oedi'n ysig wedyn
O fewn llath i fin y llyn.

Dic Jones

Cynhaeaf 1956

Safant yn rhes o byramidiau praff
    Yn dystion i ddiwydrwydd doe ar rwn,
A thoreth trigain acer yno'n saff
    Yn fôn ar frig yng nghôl eu crefftwaith crwn.
Pryfoclyd iawn fu'r medi ar ei hyd,
    Treth ar amynedd Shaci Tyddyn-llwyn;
Troi rhwng cawodydd i sopynno'r ŷd
    A'i gywain adre fel pe bai'n ei ddwyn.
Ond os nad yw eleni'n grinsian gras,
    Na'r ydlan fel y'i gwelwyd, hyd y fil,
Nid oes ar faes ond ambell ysgub las
    Ar ôl yn wledd i'r brain a'r petris swil;
A dydd yr ŵyl, os bu'n gynhaeaf gwael,
Roedd diolchgarwch Shaci'r un mor hael.

Alun Cilie

Neithiwr

Clir iawn oedd y sêr o'r dwyrain
   Neithiwr, a'r awel yn oer,
Y ddaear yn swrth a chysglyd
   A gwelw gylch am y lloer.

Fy mhraidd wedi heidio'n gynnar
   I gysgod perth ar y foel,
A'r gwylain â braw yn eu crio
   Pe rhoddwn i arnynt goel.

Trois innau i mewn i'm lluest
   I orffwys yn gwbwl rydd;
Fy meddwl ar grwydro moelydd
   A chyfri 'mhraidd gyda'r dydd.

Ond cefais o ddeffro heddiw, –
   Y gwynt wedi codi'n uwch,
Y moelydd i gyd yn wynion
   A 'mhraidd ar goll dan y lluwch.

Alun Cilie

Cwm Pennant

Yng nghesail y moelydd unig,
    Cwm tecaf y cymoedd yw;
Cynefin y carlwm a'r cadno,
    A hendref yr hebog a'i ryw:
Ni feddaf led troed ohono,
    Na chymaint â dafad na chi;
Ond byddaf yn teimlo fin nos wrth fy nhân
    Mai arglwydd y cwm ydwyf i.

Hoff gennyf fy mwthyn uncorn
    A weli'n y ceunant draw,
A'r gwyngalch fel ôd ar ei bared,
    A llwyni y llus ar bob llaw:
Os isel yw'r drws i fynd iddo,
    Mae beunydd a byth led y pen;
A thincial eu clychau ar bwys y tŷ
    Bob tymor mae dwyffrwd wen.

Os af fi ar ambell ddygwyl
    Am dro i gyffiniau'r dref,
Ymwrando y byddaf fi yno
    Am grawc, a chwibanogl a bref.
Hiraethu am weled y moelydd,
    A'r asur fel môr uwch fy mhen,
A chlywed y migwyn dan wadn fy nhraed,
    A throi 'mysg fy mhlant a Gwen.

Mi garaf hen gwm fy maboed
    Tra medraf i garu dim;
Mae ef a'i lechweddi'n myned
    O hyd yn fwy annwyl im';
A byddaf yn gofyn bob gwawrddydd,
    A'm troed ar y talgrib lle tyr,
Pam, Arglwydd, y gwnaethost Gwm Pennant mor dlws,
    A bywyd hen fugail mor fyr?

Eifion Wyn

Clychau Cantre'r Gwaelod

O dan y môr a'i donnau
    Mae llawer dinas dlos
Fu'n gwrando ar y clychau
    Yn canu gyda'r nos;
Trwy ofer esgeulustod
    Y gwyliwr ar y tŵr
Aeth clychau Cantre'r Gwaelod
    O'r golwg dan y dŵr.

Pan fyddo'r môr yn berwi,
    A'r corwynt ar y don,
A'r wylan wen yn methu
    Cael disgyn ar ei bron;
Pan dyr y don ar dywod
    A tharan yn ei stŵr,
Mae clychau Cantre'r Gwaelod
    Yn ddistaw dan y dŵr.

Ond pan fo'r môr heb awel,
    A'r don heb ewyn gwyn,
A'r dydd yn marw yn dawel
    Ar ysgwydd bell y bryn,
Mae nodau pêr yn dyfod,
    A gwn yn eithaf siŵr
Fod clychau Cantre'r Gwaelod
    I'w clywed dan y dŵr.

O cenwch, glych fy mebyd,
　　Ar waelod llaith y lli;
Daw oriau bore bywyd
　　Yn sŵn y gân i mi;
Hyd fedd mi gofia'r tywod
　　Ar lawer nos di-stŵr,
A chlychau Cantre'r Gwaelod
　　Yn canu dan y dŵr.

J. J. Williams

Y Cudyll Coch

Chwedleua'n llon wnawn ninnau;
A chudyll coch o'r Ciliau
   Yn yr asur wrtho'i hun,
A'i ddisyfl adain yn gwneud y byd
   I gyd
'Yn llonydd fel mewn llun!'

Er cilio o Awst, a llawer Awst,
   O hyd mwyneiddiaf atgof yw
Porffor y grug uwch glesni'r môr,
   A'r cwch fel glöyn byw.
Ond ambell ddunos effro,
Ofnadwy nos fel heno,
   'Dyw'r tlysni i gyd ond rhith a ffug;
Mae disyfl adain uwch fy mhen
   Yn cuddio'r nen
A minnau a phawb sydd annwyl im
   Yn ddim
Ond cryndod yn y grug.

Wil Ifan

Y Lamp yn ei Ffenestr

Fe glywais fod y bydoedd oll
   Yn troi o gylch un seren glir,
Ac er nad wyf seryddwr mawr,
   Gwn heno fod y stori'n wir.

Mae clawr y nos yn sêr i gyd,
   Aneirif yw y disglair lu;
Ac un fan draw yn isel iawn:
   Yn wir mae'n cwrdd â'r ddaear ddu.

Er nad yw'n llachar fel y lleill,
   Mae rhyw gynhesrwydd iddi hi;
A thros y rhos hyd ben y bryn
   At honna fach y tynnaf fi.

Wil Ifan

Y Gorwel

Hyd ei derfyngylch acw yw fy myd:
Y wlad a gwyd yn effro o gwm i fryn,
A'r môr un tu a rhyw dawelwch hud
I'w feithder glas sy â'i donnau'n brigo'n wyn;
Dilyn yn llinell wrymiog draw, a'i nef
Yn esmwyth orffwys megis ar ei ffin;
Heddiw cymylau ar ei ael ac ef
Yfory'n chwarae mig yn nhes yr hin.

A thros y talfryn pell y cwyd yr haul
Bob dydd i'm llonni yn fy myd bach crwn,
A machlud tros yr heli wedi traul
Y dydd cyn dyfod nos i ddwyn fy mhwn.
Ni'm dawr be' sydd tu hwnt i'w linell gref,
Mae 'myd tu mewn i'w gylch anghyffwrdd ef.

Siors Gaerwen

Llan-y-dŵr

Ni fûm erioed yn Llan-y-dŵr,
Ni fûm, nid af ychwaith.
Er nad oes harddach man, rwy'n siŵr,
Na Llan-y-dŵr
A'i fyd di-stŵr,
Nid af, nid af i'r daith.

Bûm lawer hwyr yn crwydro'r rhos
A dringo'r bryn gerllaw
I weld rhyfeddod min y nos
Yn fantell dlos
O aur a rhos
Am hedd y pentref draw.

Fe chwalai'r tonnau arian ddŵr
Hyd dywod aur y fan,
A thrôi gwylanod di-ystŵr
O'r arian ddŵr
I gylchu tŵr
A mynwent hen y llan.

Ond gwn ped awn i Lan-y-dŵr
Y cawn i'r adar hyn
Yn troelli'n wyllt a mawr eu stŵr
O gylch y tŵr,
A'r arian ddŵr
Yn ddim ond ewyn gwyn.

Ni fûm erioed yn Llan-y-dŵr,
Ni fûm, nid af ychwaith.
Er nad oes harddach man, rwy'n siŵr,
Na Llan-y-dŵr,
A'i fyd di-stŵr,
Nid af, nid af i'r daith.

T. Rowland Hughes

Penillion Gwreiddiol

Fe'th ddwg llong ymhell ar fordaith,
Fe'th ddwg march ar siwrne hirfaith;
Ond o bob rhyw daith ar ddaear,
Pellaf taith ar ysgwydd pedwar.

★　　★　　★

Du yw'r frân a du yw'r muchudd,
Du yw'r awr sy' nesa i'r wawrddydd;
Du yw'r nos yng Ngallt yr Ogo',
Duaf bwth heb gariad ynddo.

★　　★　　★

Lleddf yw cri'r dylluan heno,
Lleddf yw llais y ci sy'n udo;
Ond y mwyaf lleddf yw f'enaid
Am na fedr ond ochenaid.

★　　★　　★

Pan ddaw eto Galangaea
Nid arhosaf i ffordd yma,
Af heb oedi o Fryn Eithin,
Fel aderyn o flaen drycin.

★　　★　　★

Mynd â'r anner fach i'r farchnad
Pacio'r llyfrau, pacio'r dillad,
Pacio'r offer, pacio'r arian,
Gado 'nghalon yma'i hunan.

Calennig

Rhyw ddeuddydd cyn y Calan dros y sticil
Rhen Bet bob blwyddyn oedd y cynta i ddod
A'n denu ninnau ati, er ein picil,
A'i llaw riwmatig, arw yn plymio i'w chod;
Gan smalio anwybodaeth byddai'n holi
Ein hynt a'n helynt ni bob un, a'n hoed,
Cyn brysio'n sionc ei cham i'r tŷ i'n moli
A'i chwdyn dan ei ffedog fel erioed.

Nid cynt y caeai'r drws na chlywid brolio
A chyfarch gwell wrth dân y gegin fach;
Er na wnai hynny i Mam roi mwy – na tholio
Yr aing o gaws na'r fflŵr yng ngenau'r sach.
Pan giliodd Bet i beidio â galw mwy,
Fe giliodd y gymdogaeth dda o'r plwy.

Alun Cilie

Casglu Calennig

A'r gaeaf garw ei afael
Yn y gwynt heb wres i'w gael,
Deuai cân ar hyd y cwm
I erlid brath yr hirlwm.
Am ennyd fe geid mwyniant
Drwy y plwyf lle deuai'r plant
Tros gae a pherth, a'u chwerthin
Yn y fro yn herio'r hin.
O dŷ i dŷ'n haid ieuanc
Oer eu byd, er chwyddo'r banc,
O gân i gân dôi'r geiniog
Yn gant wrth gopïo'r gog.
Profi o'r hen gwmnïaeth
A chreu bwrlwm mewn cwm caeth,
Un â'i gân yn diddanu
I fywiocáu'r dyddiau du.
Arall yn ôl ei allu'n
Hawdd ymroi ohono'i hun
I ymuno'n y mwyniant –
Pawb o'r fro'n cyd-daro tant.
Anghofio yn sang eu hafiaith
Ru y storm yng ngwres y daith.
Yna adre i edrych
Ar gronfa yr helfa wych
Yn eu llaw, a'r naill a'r llall
Yn aros Calan arall.

Wyn Owens

Halen

Ar dy ford cyffur di-feth – i roi chwaeth,
    Try'r chwerw'n felysbeth,
   Tato, riwbo neu rywbeth,
   Gwraig Lot mewn pot ydyw'r peth.

Disinfectant 'r Atlantig – yn croywi
    Y cread llygredig,
   Da i'r cawl iechydwr cig
   O seiffon y Pasiffig.

Darpariaeth rad er puro – sêr y cawl
    Blasu'r cig a'i g'weirio,
   Heb wraig Lot ei berygl o
   Ydyw ham wedi hwmo.*

Ei rin sy'n berwi ynom, a heb hwn
    Pydrai pawb ohonom,
   Efo'ch sŵp cofiwch y siom
   Arswydus i ŵr Sodom!

Isfoel

---

* Wedi mynd yn ddrwg.

Epigramau

Dealled ef a dwyllo
Na wrandewir ei wir o.

Dic Jones

Mae mwy ar werth pan werthir
Ein daear na darn o dir.

Tomi Evans

Lle bo cyw, lle bo cawell
Nid yw mam yn mynd ymhell.

Tomi Evans

A glywo dwyll, gwylied o,
Drwg celwydd ydyw'r coelio.

Dic Jones

Wedi'r brad dwg toriad dydd
Gân ceiliog ein cywilydd.

T. Llew Jones

Gwell aer bach fo'n iach a noeth
Nag afiach mewn siol gyfoeth.

Idwal Lloyd

Â'n llai fy ffrindiau llawen
Dyna yw ing mynd yn hen.

Idwal Lloyd

Calan Gaeaf

Fe ddaeth eleni eto
Â'i stormus wynt a'i law,
I hyrddio crinddail hydref
Ar wasgar yma a thraw.

A bydd y bwci heno
A'r wrach yn crwydro'r byd,
Y gannwyll gorff a'r toili
A'r beddau'n ddatglo i gyd.

Bydd Anhrefn ar ei orsedd
Rhwng gwyll a thoriad gwawr
Ond pwy'n ein hoes ddeallus
Sy'n coelio hynny nawr?

Does heno neb yn hidio
Am wrach nag ysbryd blin,
Mae'r set deledu'n olau
A'r dychryn ar y sgrin.

T. Llew Jones

Wrth y Tân

Pan grymoch, hen anwyliaid, wrth y tân
    Yn ddrylliog gylch, a'r ddrycin ar y ddôl,
A baich eich hiraeth yn eich llethu'n lân,
    Fe ddown yn ôl.

Pan na bo golau ond o'r tanllwyth mawn,
    A chwithau'n syllu ar y gadair wag,
Fe ddown i ddyblu gwae pob calon lawn
    Yn lleng ddinâg.

Gwyn fyd yr aelwyd ddiddan ym mhob bro
    A ŵyr, ar nos o aeaf, lawen gainc
Heb wŷs i'r un ohonom ddod ar dro
    O ddaear Ffrainc!

Awenydd Tysul

Yr Anifail Bras

Ni welais i ef erioed yn fy myw,
Ac ni wn beth oedd ei lun a'i liw,
Ai du ai llwyd ai coch,
Beth, Eseia, oedd ei hanes a'i dras?
    Yr anifail bras.

Cerddodd drwy'r canrifoedd i'w ffiaidd ffald
Yn Siberia, Belsen a Buchenwald,
Ac uwch Hiroshima goed
Y gollyngodd ei holl lysnafedd cas;
    Yr hen anifail bras.

Pe gwelai'r bwystfil Ei ogoniant Ef
A'r Groes yn clymu daear a Nef,
Gyda'r fuwch a'r ych a'r oen
Yr âi i bori ei borfa las;
    Yr anifail bras.

Gwenallt

Rhydcymerau

Plannwyd egin coed y trydydd rhyfel
Ar dir Esgeir-ceir a meysydd Tir-bach
Ger Rhydcymerau.

Rwy'n cofio am fy mam-gu yn Esgeir-ceir
Yn eistedd wrth y tân ac yn pletio ei ffedog;
Croen ei hwyneb mor felynsych â llawysgrif Peniarth,
A'r Gymraeg ar ei gwefusau oedrannus yn Gymraeg
    Pantycelyn.
Darn o Gymru Biwritanaidd y ganrif ddiwethaf
    ydoedd hi.
Roedd fy nhad-cu, er na welais ef erioed,
Yn 'gymeriad'; creadur bach, byw, dygn, herciog,
Ac yn hoff o'i beint;
Crwydryn o'r ddeunawfed ganrif ydoedd ef.
Codasant naw o blant,
Beirdd, blaenoriaid ac athrawon Ysgol Sul,
Arweinwyr yn eu cylchoedd bychain.

Fy Nwncwl Dafydd oedd yn ffermio Tir-bach,
Bardd gwlad a rhigymwr bro,
Ac yr oedd ei gân i'r ceiliog bach yn enwog yn
y cylch:
'Y ceiliog bach yn crafu
    Pen-hyn, pen-draw i'r ardd'.
Ato ef yr awn ar wyliau haf
I fugeilio defaid ac i lunio llinellau cynghanedd,
Englynion a phenillion wyth llinell ar y mesur wyth-
    saith.

Cododd yntau wyth o blant,
A'r mab hynaf yn weinidog gyda'r Methodistiaid
    Calfinaidd,
Ac yr oedd yntau yn barddoni.
Roedd yn ein tylwyth ni nythaid o feirdd.

Ac erbyn hyn nid oes yno ond coed,
A'u gwreiddiau haerllug yn sugno'r hen bridd:
Coed lle y bu cymdogaeth,
Fforest lle bu ffermydd,
Bratiaith Saeson y De lle bu barddoni a diwinydda.
Cyfarth cadnoid lle bu cri plant ac ŵyn.
Ac yn y tywyllwch yn ei chanol hi
Y mae ffau'r Minotawros Seisnig;
Ac ar golfenni, fel ar groesau,
Ysgerbydau beirdd, blaenoriaid, gweinidogion ac
    athrawon Ysgol Sul
Yn gwynnu yn yr haul,
Ac yn cael eu golchi gan y glaw a'u sychu gan
    y gwynt.

Gwenallt

Y Tangnefeddwyr

Uwch yr eira, wybren ros,
Lle mae Abertawe'n fflam.
Cerddaf adref yn y nos,
Af dan gofio 'nhad a 'mam.
Gwyn eu byd tu hwnt i glyw,
Tangnefeddwyr, plant i Dduw.

Ni châi enllib, ni châi llaid
Roddi troed o fewn i'w tre.
Chwiliai 'mam am air o blaid
Pechaduriaid mwya'r lle.
Gwyn eu byd tu hwnt i glyw,
Tangnefeddwyr, plant i Dduw.

Angel y cartrefi tlawd
Roes i 'nhad y ddeuberl drud:
Cennad dyn yw bod yn frawd,
Golud Duw yw'r anwel fyd.
Gwyn eu byd tu hwnt i glyw,
Tangnefeddwyr, plant i Dduw.

Cenedl dda a chenedl ddrwg –
Dysgent hwy mai rhith yw hyn,
Ond goleuni Crist a ddwg
Ryddid i bob dyn a'i myn.
Gwyn eu byd, daw dydd a'u clyw,
Dangnefeddwyr, plant i Dduw.

Pa beth heno, eu hystâd,
Heno pan fo'r byd yn fflam?
Mae Gwirionedd gyda 'nhad
Mae Maddeuant gyda 'mam.
Gwyn eu byd yr oes a'u clyw,
Dangnefeddwyr, plant i Dduw.

Waldo

Colomennod

Bugeiliai'r gweithwyr eu clomennod gyda'r hwyr,
 Wedi slafdod y dydd, ar y Bryn,
Pob cwb â'i lwyfan yn nhop yr ardd
 Yn gollwng ei gwmwl gwyn.

Fe'u gyrrid i Ogledd Cymru ac i Loegr
 A'u gollwng o'r basgedi i'r ne',
Ond dychwelent o ganol y prydferthwch pell
 At ein tlodi cymdogol yn y De.

Amgylchynent yn yr wybr y pileri mwg
 Gan roi lliw ar y llwydni crwm;
Talpiau o degwch ynghanol y tawch;
 Llun yr Ysbryd Glân uwch y Cwm.

Yr Ysbryd Glân yn santeiddio'r mwg,
 A throi gweithiwr yn berson byw,
Y gyfundrefn arian yn treiglo yn nhrefn gras
 A'r Undebau yn rhan o deulu Duw.

Gwenallt

Y Llanc Ifanc o Lŷn

Pwy ydyw dy gariad, lanc ifanc o Lŷn
Sy'n rhodio'r diwedydd fel hyn wrtho'i hun?
Merch ifanc yw 'nghariad o ardal y Sarn,
A chlyd yw ei bwthyn yng nghysgod y Garn.

Pa bryd yw dy gariad, lanc ifanc o Lŷn
Sy'n rhodio'r diwedydd fel hyn wrtho'i hun?
Pryd tywyll yw 'nghariad, pryd tywyll yw hi
A'i chnawd sydd yn wynnach nag ewyn blaen lli.

Sut wisg sydd i'th gariad, lanc ifanc o Lŷn
Sy'n rhodio'r diwedydd fel hyn wrtho'i hun?
Gwisg gannaid sidanwe sy laes at ei thraed,
A rhos rhwng ei dwyfron mor wridog â'r gwaed.

A ddigiodd dy gariad, lanc ifanc o Lŷn
Sy'n rhodio'r diwedydd fel hyn wrtho'i hun?
Ni ddigiodd fy nghariad, ni ddigiodd erioed,
Er pan gywirasom ni gyntaf yr oed.

William Jones

Y Bore Hwnnw

Pan ffarweliasom ni y bore hwnnw
    Fe wyddem, ac ni wyddem hefyd, pam;
Bu'n chwerw rhyngom megis ar ein gwaethaf,
    A medrem, ond ni fynnem rannu'r cam.

Er chwennych cwrddyd, ni chwrddasom eilwaith;
    A'r cariad a fu rhyngom ni a ffoes;
Megis a guddio drysor yn ddifater,
    A methu a'i gael drachefn hyd ddiwedd oes.

Annwyl y'th gerais; ond y bore hwnnw
    Fe wyddem, ac ni wyddem yr un pryd.
Ond beth a fyddai bywyd pes deallem,
    A pha ryw deithio a'r llwybr yn glir i gyd?

Evan Jenkins

Roncesvalles

Fynyddoedd llwyd, a gofiwch chwi
    Helyntion pell y dyddiau gynt? –
'Nid ydynt bell i ni, na'u bri
    Yn ddim ond sawr ar frig y gwynt.
Ni ddaw o'n niwl un milwr tal,
O'r hen oes fud, i Roncesvalles.'

Gwelsoch fyddinoedd Siarlymaen,
    Ai diddim hwythau oll achlân,
Holl fawredd Ffrainc, syberwyd Sbaen,
    Rolant a'i wŷr, a'r Swleimân? –
'Maent fudion mwy, a'u nerth yn wyw.
Yn Roncesvalles yr hyn sy fyw

yw'n mawredd ni, – y gwellt a'r grug,
    Ac isel dincial clychau'r gyr,
A'r gostyngedig wŷr a blyg
    Pan glywont gnul, brynhawnddydd byr.
Niwloedd a nos, y sêr a'r wawr,
Yn Roncesvalles y rhain sy fawr.'

Lledodd y caddug tros y cwm
    (O glodfawr wŷr, mor fyr yw clod!)
Clyw-wn y da'n anadlu'n drwm
    (O fywyd, bychan yw dy rod!)
Ac aros, nes i'r gwyll fy nal,
A'r nos a fu, – yn Roncesvalles.

Iorwerth C. Peate

Hiraeth

Gwedwch, fawrion o wybodaeth,
O ba beth y gwnaethpwyd Hiraeth,
A pha ddefnydd a roed ynddo
Na ddarfyddai wrth ei wisgo?

Derfydd aur a derfydd arian,
Derfydd melfed, derfydd sidan,
Derfydd pob dilledyn helaeth,
Ond er hyn ni dderfydd Hiraeth.

Fe gwn yr haul, fe gwn y lleuad,
Fe gwn y môr yn donnau irad,
Fe gwn y gwynt yn uchel ddigon,
Ni chwn yr Hiraeth byth o'r galon.

Hiraeth mawr a Hiraeth creulon,
Sydd bob dydd yn torri 'nghalon;
Pan fwyf dryma' 'r nos yn cysgu
Fe ddaw Hiraeth ac a'm deffry.

Hiraeth, Hiraeth, cilia, cilia,
Paid â phwyso mor drwm arna';
Nesa dipyn ar yr erchwyn,
Gad i mi gael cysgu gronyn.

Traddodiadol

Mae'r esgid fach yn gwasgu

Mae nghalon i cyn drymed
Â'r march sy'n dringo'r rhiw
Wrth geisio bod yn llawen
Ni fedraf yn fy myw.
Mae'r esgid fach yn gwasgu
Mewn man nas gwyddoch chi
A llawer gofid meddwl
Sy'n torri 'nghalon i.

Traddodiadol

Bro Mebyd

Caf yma ryfeddodau
Sy'n dal i'm swyno o hyd,
Caf glywed gwledig nodau
Ar bell ymylon byd;
Dringaf o encilfeydd y glog
I ganu cerdd pan gano cog.

Caf wrando hen afonydd
Ar eu hynafol daith,
A mynd i hedd y rhosydd
A'r gweunydd llonydd, llaith;
Ac weithiau weled mentyll trwm
Y niwl yn cau am lun y cwm.

Caf droi 'mhlith gwŷr a gwragedd
Di-stŵr a syml eu stâd,
Na ŵyr am rwysg a gwagedd,
A'u gwreiddiau ym mhridd y wlad;
Mae gwerthoedd byd o hyd yn stôr
Rhwng Pen Coed Foel a Moel y Môr.

Mae'r iaith a garaf orau
O bobtu i'r bryniau hyn,
A thân yr hen allorau
A'r lampau pŵl ynghyn;
Molaf dy wynt, dy wyll, dy wawr,
Nes dyfod y mudandod mawr.

Ifan Jones

Ar Ben y Lôn

Ar ben y lôn mae'r Garreg Wen
    Yr un mor wen o hyd,
A phedair ffordd yn mynd o'r fan
    I bedwar ban y byd.

Y rhostir hen a fwria hud
    Ei liwiau drud o draw,
A mwg y mawn i'r wybr a gwyd
    O fwthyn llwyd gerllaw.

Ar ben y lôn ar hwyr o haf
    Mi gofiaf gwmni gynt,
Pob llanc yn llawn o ddifyr ddawn
    Ac ysgawn fel y gwynt.

Ar nawn o Fedi ambell dro
    Amaethwyr bro a bryn
Oedd yno'n barnu'r gwartheg blith
    A'r haidd a'r gwenith gwyn.

Ac yma, wedi aur fwynhad
    Tro lledrad ger y llyn,
Bu llawer dau am ennyd fach
    Yn canu'n iach cyn hyn.

O gylch hen garreg wen y lôn
    Bu llawer sôn a si;
Ond pob cyfrinach sydd dan sêl
    Ddiogel ganddi hi.

Y llanciau a'r llancesau glân
    Oedd gynt yn gân i gyd,
A aeth hyd bedair ffordd o'r fan
    I bedwar ban y byd.

Pa le mae'r gwŷr fu'n dadlau 'nghyd
    Rinweddau'r ŷd a'r ŵyn?
Mae ffordd yn arwain dros y rhiw
    I erw Duw ar dwyn.

Fe brofais fyd, ei wên a'i wg,
    O olwg mwg y mawn,
Gwelais y ddrycin yn rhyddhau
    Ei llengau pygddu llawn.

Ar ben y lôn mae'r Garreg Wen
    Yr un mor wen o hyd,
A dof yn ôl i'r dawel fan
    O bedwar ban y byd.

Sarnicol

Hen Stori

Gadewais uchelderau
    Fy mebyd ym Mhen-twyn,
Gadewais gwmni Carlo,
    A'r defaid mân a'r ŵyn.

Ond nid yw'r hen fynyddoedd,
    A'r defaid mân, a'r ci,
'Waeth pa mor bell y teithiaf,
    Byth yn fy ngadael i.

B. T. Hopkins

Y Tyddyn

(Efelychiad o ddarn gan yr Americanwr
Edwin Arlington Robinson)

Maen' hw' wedi mynd i gyd
O'r tyddyn ar fin y llyn.
'D oes 'na ddim o'u hôl, dim byd.

Oedd, yr *oedd* o'n lle bach clyd
A'i waliau mor lân, mor wyn.
Maen' hw' wedi mynd i gyd.

Er iddyn' hw' 'i ddal o c'yd
A'r caeau wrth droed y bryn,
'D oes 'na ddim o'u hôl, dim byd.

Mae'r tyddyn yn noeth a mud
A'i dipyn o ardd yn chwyn.
Maen' hw' wedi mynd i gyd.

Mae'n wag ers 'wn i ddim p'ryd
A thyllau 'mhob ffenestr syn.
'D oes 'na ddim o'u hôl, dim byd.

Mae'n drist 'i weld o o hyd
Yn unig a llwm fel hyn.
Maen' hw' wedi mynd i gyd:
'D oes 'na ddim o'u hôl, dim byd.

T. Rowland Hughes

58

Rhos Helyg

Lle bu gardd, lle bu harddwch,
Gwelaf lain â'i drain yn drwch;
A garw a brwynog weryd
Heb ei âr a heb ei ŷd.

A thristwch ddaeth i'r rhostir –
Difrifwch i'w harddwch hir;
Ei wisgo â brwyn a hesg brau,
Neu wyllt grinwellt y grynnau,
Darnio ei hardd, gadarn ynn
A difetha'i glyd fwthyn!

Rhos Helyg, heb wres aelwyd!
Heb faes ir, ond lleindir llwyd,
A gwelw waun unig, lonydd
Heb sawr y gwair, heb si'r gwŷdd.

Eto hardd wyt ti o hyd
A'th oer a'th ddiffrwyth weryd,
Mae'n dy laith a diffaith dir
Hyfrydwch nas difrodir –

Si dy nant ar ddistaw nos
A dwfn osteg dy hafnos;
Aml liwiau'r gwamal ewyn,
Neu lwyd gors dan flodau gwyn,
A'r mwynder hwnnw a erys
Yn nhir llwm y mawn a'r llus.

O'th fro noeth a'th firain hwyr,
O'th druan, egwan fagwyr,
O'th lyn a'th redyn a'th rug,
Eilwaith mi gaf, Ros Helyg,
Ddiddanwch dy harddwch hen
Mewn niwl, mewn storm, neu heulwen.

Eto, mi glywaf ateb
Y grisial li o'r gors wleb
I gŵyn y galon a gâr
Hedd di-ddiwedd dy ddaear.

B. T. Hopkins

Hen Fwthyn Deio'r Crydd

Di-lun ei wedd yw Dôl Nant,
Yn garnedd ger y gornant;
Chwalwyd ei degwch olaf
Yn llwyr iawn ers llawer haf.

Mwy nid oes yma groeso –
Uchel lais, clicied na chlo;
Na derwddor yn agoryd
O'i glos i'r hen gegin glyd;
Na chlawdd trwsiedig na chlwyd
Na hwyr olau ar aelwyd.

Gwynt drwy'r ardd sy'n clindarddach,
Mae'r drysi'n ei berci bach,
Danadl lle bu banadlen
A llwyn bocs dillyn ei ben.

A lle bu gweithdy a gêr,
Rhin y grefft a'r hen graffter,
Man anniben yw heno,
A'r hen grydd yng ngrwn y gro.

Ond i gof daw ei gyfoeth,
Ei gywir dinc a'r gair doeth –
Eco ergydion onest
Ei forthwyl ef wrth y lest.

Ei bwyll mawr â'r ebill main,
Y cŵyr a'r pwytho cywrain,
Ei law daer â'r afael dynn
Yn troi edau'r pwyntrhedyn.

Nid oes fflam na sŵn tramwy,
Na mainc wrth y ffenestr mwy.
Ni ddaw neb yn hedd y nos
I'w unigedd yn agos.

Alun Cilie

Hen Efail

Dim ond adeilad uncorn
   A'i dô rhidyllog, blêr,
Pentyrrau hen bedolau
   A chantiau ceirt a gêr,
Y fegin wichlyd, mwg tân glo
A miwsig eingion Deio'r Go'.

Deuai'r ebolion nwydwyllt
   A'r wedd borthiannus, gre',
Ceid hisian carnau'n llosgi
   A'r sawr yn llenwi'r lle;
Ac yn ei gwrced Deio'r Go'
Yn taro'r wythoel yn eu tro.

Ond heddiw nid yw rhuban
   Y mwg ar war y gwynt,
Na'r morthwyl mawr a'r eingion
   Mewn cytgord megis cynt.
Tawelwch Sabath sydd i'r lle, –
Aeth Deio'r Go'n ei dro i'r dre'.

Llewelyn Phillips

Cefn Mabli

Yma bu pob rhyw lendid mab a merch
    Ar anterth awr eu bywyd i roi tro
Bu yma ddawns a chân yn cymell serch
    Nosweithiau haf i fynwes gwyrda'r fro.
A llygaid mwyn ar lawer trannoeth blin
    Drwy'r ffenestr hon yn gwylio'r curlaw llwyd
A hwyr sigliadau düwch llwm y pîn,
    A thruan dranc cyfaredd yr hen nwyd.
Awgrym nid oes o'r maith rialti gynt
    Nac atgof prin o'r hen anobaith hardd, –
Dim ond rhyw lais yn lleddfu ar fin y gwynt
    A rhosyn gwyllt yn hendre rhos yr ardd,
Ychydig o'r hen wylo yn y glaw,
Ychydig lwch yn Llanfihangel draw.

W.J. Gruffydd

Hiraeth

Am dreulio Sul yn Horeb,
    A'r dyrfa yno i gyd
Heb gilio o'r un wyneb
    A welais yno ynghyd;
Dychwel i Fostyn gyda'r nos
Ar draws y bryndir llwyd a'r rhos.

Am ddilyn i'w cynefin
    Y defaid gyda'u hŵyn
A Loffti, Rhydyreirin,
    Dros faes o bant i dwyn;
A throi i'r Fron ym min yr hwyr
Yn llawen er y lludded llwyr.

Am dynnu at y pentan
    I drin hen bethau'r fro,
A rhewynt Rhydyrarian
    Yn chwipio meini'r to,
Y teulu'n un o fawr i fân,
A chynnes fyd o gylch y tân.

Am bopeth trist fy henfro
    A'i hen hyfrydwch hi,
Yr atgo ar ôl atgo
    A fyn fy erlyn i,
A throi pob hiraeth ar fy hynt
Yn hiraeth am yr hiraeth gynt.

Abel Ffowcs Williams

Blychau

'Nid ydynt hardd, eich hen addoldai llwm.
Pa ddwylo a'u lluniodd hwy
yn flychau sgwâr, afrosgo, trwm,
yn foel, ddiramant, hyd y cwm,
heb orchest bwa na mireinder sgrin,
heb ffenestr liw a'r lliw fel gwin
hwyr a gwawr:
pa ddwylo blin a'u lluniodd hwy,
eich hen addoldai mawr?'

'Nid ydynt hardd i chwi, mae'n siŵr,
heb orchest bwa na mireinder tŵr,
ond ynddynt hwy, er trwsgl eu trem –
Caersalem, Seion, Soar a Bethlehem –
y plygodd y gwerinwr lin,
y naddodd salm o'i oriau blin,
y dyblodd gân a'r gân fel gwin,
y rhoes,
yn nyddiau hedd a dyddiau loes,
ei deyrnged hardd i Ŵr y Groes.

'Nid ydynt hardd, fy ffrind, i chwi,
ein hen addoldai mawr, di-ri,
ond hwy a'n gwnaeth,
o'r blychau hyn y daeth
ennaint ein doe a'n hechdoe ni,
os llwm eu llun, os trwsgl eu trem,
Caersalem, Seion, Soar a Bethlehem.'

T. Rowland Hughes

Salem

(Y darlun gan Curnow Vosper)

Siân Owen Ty'n-y-Fawnog yw'r hen wraig
    A wisgai'r siôl a'i hurddas benthyg, mwy,
Hen wreigan seml a chadarn fel y graig
    Uwch Cefncymerau, lle'r addolant hwy,
Y cwmni gwledig ar ddiarffordd hynt –
    Siân Owen, Wiliam Siôn ac Owen Siôn,
A Robat Wilias o Gae'r Meddyg gynt,
    A Laura Ty'n-y-Buarth fwyn ei thôn.

Mi gwrddaf wybodusion llawer byd,
    Y prysur-bwysig, y ceffylau blaen,
A chlychau'n harnes, heb un eiliad fud,
    Yn gyrru powld, fawreddog sŵn ar daen.
Mor felys wedyn yw eich byd di-sôn,
Siân Owen Ty'n-y-Fawnog, Wiliam Siôn!

T. Rowland Hughes

Cloch y Llan

Mae hi'n Saboth am unwaith eto, Siân,
    A chanu mae cloch y Llan,
A chystal cyfaddef, mae'n galed, Siân,
    Heb allu mynd gam o'r fan,
Amser i'w gofio oedd hwnnw gynt
    Pan aem i addoli 'nghyd,
Heb gyfri'r milltiroedd, drwy law a gwynt,
    Na dim i gymylu'n byd.

Glyw' di hi'n canu? Yr un hen gloch
    Ag a ganai'r bore gwyn,
Pan ddest i'm cyfarfod a gwrid ar dy foch
    I'r eglwys yn ymyl y llyn;
Roedd hi'n canu'n bereiddiach bryd hynny, Siân,
    Fel y cofi'n dda mi wn,
Ac roedd mwy o aur yn dy fodrwy, Siân,
    Nag sydd ynddi'r bore hwn.

Y dydd pan ddilynem ni elor Gwen
    I'w bedd yn y fynwent lwyd,
Ti gofi'r offeiriad mewn llaeswisg wen
    Yn ein cwrddyd yn ymyl y glwyd;
Oes, mae deugain mlynedd er hynny, Siân,
    A bu llawer tro ar fyd,
Ond bydd deigryn hiraethus yn gwlychu 'ngrân
    Man y cano'r gloch o hyd.

Mae'n heinioes, anwylyd, yn dirwyn i ben,
    Ac awr y noswylio'n nesáu,
A'r gloch oedd yn canu ddydd angladd Gwen
    Fydd yn canu pan gleddir ni'n dau;
A phwy fydd ei hunan yn ymyl y tân,
    Yn dlawd a digysur ei fyd,
Fe fyddai'n drugaredd, oni fyddai, Siân,
    Pe galwai'r hen gloch ni 'run pryd?

Crwys

Yr Henwyr

Ar bentan gloyw'r dafarn
    Eistedda'r henwyr llwyd,
Gan rythu i'r marwydos
    Â'u llygaid pŵl di-nwyd.

Drwy'r ffenestr fach fe dremia
    Ffenestri cul y llan,
A'r clochdy llwyd, a'r onnen
    Sy'n gwyro dros y fan.

Yno yn drachtio'r cwrw
    Heb obaith mwy na chur,
Mor fud â'r cerrig gleision
    Sy'n rhesi hwnt i'r mur.

Ac ambell nawn, fe glywant
    Ganu rhyw angladd du,
A mwmian pell y person
    Am sicir obaith fry.

Trônt at eu diod eilwaith
    Heb geisio deall mwy,
Mor dawel â'u hynafiaid
    Sy'n naear fud y plwy';

Yn eistedd oni chlywir
    Sain hir a lleddf y gloch,
Gan rythu i'r marwydos
    A drachtio'r cwrw coch.

G. J. Williams

Sgrap

Bu clirio relics doe o bob rhyw fan
    Yn ddolur llygaid drwy'r prynhawn i mi;
Hen geriach nad oedd iddynt mwyach ran
    Na lle'n hwsmonaeth ein hoes fodern ni.
Allan o'r stabl a'r cartws aeth y cwbl –
    Y ceirti cist, y gambo fach a'r trap,
Erydr ceffylau o'r ffald, ungwys a dwbl,
    Yn bendramwnwgl ar y domen sgrap.

Ond er i'r bois gael hwyl yn eu crynhoi
    Wrth gwt y tractor mor ddi-ots o chwim,
Ac i minnau daro'r fargen, heb dindroi
    Na hocan, am y nesaf peth i ddim –
Aeth rhywbeth mwy na sgrap drwy iet y clos
Ar lori Mosi Warrell am y rhos.

Alun Cilie

Ymollwng

Ni wn pa sawl pererin gwan ei ffydd
    A gafodd wrth fy ngwrando gadarnhad,
Na pha sawl gŵr, ar derfyn sanctaidd ddydd,
    A dystiodd imi ddangos ffordd y Tad.
O Sul i Sul ymboenais baratoi
    Gan osod ar feddyliau drefn a min,
A chredu'n dawel bach y medrwn gloi
    Mewn gair a brawddeg, yr Anfeidrol Rin.
Ond bellach darfu pob anniddig awr
    O geisio'r gwir a dethol geiriau coeth;
Ni phoenaf ddatrys unrhyw thema fawr
    Na deall deiagnosis dynion doeth,
Ac ar nos Sadwrn, yn lle'r ffwndro ffôl,
Caf dynnu mygyn hir, a siglo'r stôl.

W. Rhys Nicholas

Tachwedd

Sdim eisie iti gau drws y storws, Twm,
    Gad iddo fe ar agor heno,
A phaid meddwl am gario dy bacyn trwm,
    Rho Flower neu Star yn y gambo.

Odi, mae saith mlinedd yn amser go hir,
    Ond ma' nhw wedi mynd fel adrodd stori;
Roedd y plant ma'n go fân bryd hynny, wir,
    Sdim rhyfedd bo nhw ffordd hyn yn dy boeni.

O gnewn, fe glymwn y da a chau'r lloi,
    A mi ofalwn ar ôl y ceffile;
Er ma'r ogor yn brin i'w clymu mor gloi,
    Ond fe neith Wannwn cynnar, efalle.

Wyt ti'n cofio'r Glangaea pan ddest ti i'r clos
    Saith mlynedd i heno, a'r trwbwl?
Y da a'r ceffile i gyd mas y nos,
    Ond doithon trwyddi'n syndod trw'r cwbwl.

Paid becso dim byd, fe'i halwn hi mlân,
    Ma'r hen blant ma nawr wedi prifio.
Tase fe'n fyw ... wrth gwrs ... bydde gwell grân ...
    Wel, Priodas Dda i ti nawr ... a dere heibo.

S. B. Jones

Pentalar

Wrth weld yn nechrau Mawrth o ddrws fy mwth
Y bechgyn wrthi draw yn codi cefn;
Wrth wrando'r deryn du yn tiwnio'i grwth,
Ni raid im mwyach fwstro, diolch i'r drefn.
Dim codi'n hwrddwch nos o glywed buwch
Mewn poen yn ochain a methu bwrw'i llo,
Na rhedeg i gasglu'r praidd rhag ofn y lluwch
Pan fo'r dwyreinwynt yn ysgubo'r fro.
Y mae hi'n fendigedig arna'i nawr,
Dwi'n hidio dim, rhwng muriau'r bwthyn bach,
Pryd yr â'n nos na phryd y tyr y wawr,
I'm holl drafferthion wedi canu'n iach
Ar ben y dalar. A chaf fwrw'r draul
Heb stoc na stâd – yn henwr yn yr haul.

Alun Cilie

Lle o Lai

Gorfoleddwn mewn ehangder
  Tra bu'r egni yn ei rym,
Nid oedd pwys y dydd a'i boethder
  Yn effeithio arnaf ddim.

Ond daeth methiant i'r cymalau
  Ac aeth rhwysg yr oes ar drai;
Fe gyfyngwyd y terfynau,
  Rhaid oedd mynd i le o lai.

Gwasgu'n nes a wna'r cysgodion,
  'Ceiliog Rhedyn' yn trymhau;
Ni fydd dewis eto'n union,
  Rhaid fydd cymryd lle o lai.

Isfoel

Hiraeth

Mae'n anodd rhoi'i mewn iddo, cofiwch
Er hwyrach, mai fe sy'n iawn
Ond rwy'i bron yn siŵr, er fy oedran,
Y daliwn i dalcwaith llawn.

A dweder a fynner, rwy'n teimlo
'Rhen ysfa'n dod nôl drachefn,
A minnau ar ben yr hytir
Yn barod i godi cefn.

Beth ŵyr efe am *aredig*,
Â'i deircwys a'i dractor chwyrn
Am yr ias o orfoledd tawel,
A'r balchter o ddal y cyrn?

Ond ofer fy edliw bellach,
Ni thâl hi ddim tynnu'n groes,
Rhaid gadael i'r crwt gael 'i gyfle,
A symud ymlaen gyda'r oes.

Alun Cilie

Y Pren Crin

Nid oes un pren mor grin na fyn aderyn
 Ganu'n ei frigau pan ddaw'r haul i'r fro,
Na gwraidd mor grin na rydd y nant ddiferyn
 O'i dyfroedd i feddalu ei wely gro;
A chlywir murmur gwenyn rhwng y cangau
 Wedi i'r ddeilen olaf syrthio i'r llawr,
Ni chofia'r awel am weddillion angau
 Pan chwyth drwy'r brigau noethlwm gyda'r wawr;
Rwyf innau'n hen a musgrell ar y dalar,
 A hwyl y bore wedi cilio'n llwyr,
Y ddaear wedi troi yn ddyffryn galar,
 Ac ym mhob breuddwyd hunllef drom yr hwyr;
Weithiau daw cân mor bêr â dafnau gwin
I sibrwd gobaith rhwng y cangau crin.

T. E. Nicholas

Ni Phery . . .

Rwy'n ddigon hen i wybod erbyn hyn
    Na phery prudd-der na dedwyddwch chwaith;
Cymysg yw'n bywyd ni, a'r du a'r gwyn
    Yn dilyn yn eu tro ar hyd y daith.
Ni phery bri y dewr, na'r cryf na'r chwim,
    Ac eilun mwya'r dorf yn angof â:
Sêl pob gwrthryfel chwerw nid erys ddim,
Daw barrug hydre' i bylu gwres yr ha'.

Nid oes hirhoedledd i orchestion dyn
    Nac i gywreinrwydd celf na chrefft na chân.
Ni phery serch godidog llanc a bun,
    Bydd mynych borthi'r fflam yn difa'r tân.
Hiraeth ni phery byth, er oedi'n hir;
Ond hen yw'r sawl a ŵyr fod hynny'n wir.

T. Llew Jones

78

Caethiwed

Weithiau mae 'nghalon fel aderyn bach
    A ddaeth drwy'r drws i'r gegin gefn
Na ŵyr yn ei wylltineb hurt
    Ei ffordd yn ôl i'r coed drachefn.

Fe glywir dadwrdd ei adenydd chwyrn
    Wrth deimlo'r mur amdano'n cau,
Ac ofn a'i gyr i gongl bella'r gell
    Wrth geisio ymryddhau.

Fe wêl drwy'r ffenestr, hwnt i glawdd yr ardd
    Groesawus osgo'r deri a'r pîn,
Hyrddia'i eiddilwch tua'u breichiau hwy
    A syrth ar anweledig ffin.

T. Llew Jones

Shili-ga-Bŵd

Roedd llwyn bach gan Mam hyd y diwedd,
Heb arno na blodyn na chnwd,
Un difalch a hollol werinol,
A alwai yn shili-ga-bŵd.

Gofalai amdano fel plentyn
Bob tywydd, boed oer neu yn frwd,
Gan ddod â'i thicanter o'r cyffur
At syched y shili-ga-bŵd.

Pan alwai rhyw ffrind ar ei siwrnai
Roedd hi'n ddigyfnewid ei mŵd,
Anrhegai bob un cyn ymadael
Â sbrigyn o'r shili-ga-bŵd.

Aeth Mam yn fethiannus gan henaint,
A'r llwyn a ymgrymodd i'w gŵd,
A surodd y sawr a'r sirioldeb
A gariai y shili-ga-bŵd.

Fe nychodd y gwraidd o dorcalon
A chrinodd y dail yn eu pŵd,
A phan aeth ei geidwad i'r beddrod
Aeth yntau – y shili-ga-bŵd.

Isfoel

Melin Tre-fin

Nid yw'r felin heno'n malu
    Yn Nhre-fin ym min y môr,
Trodd y merlyn olaf adre'
    Dan ei bwn o drothwy'r ddôr,
Ac mae'r rhod fu gynt yn rhygnu
    Ac yn chwyrnu drwy y fro,
Er pan farw'r hen felinydd,
    Wedi rhoi ei holaf dro.

Rhed y ffrwd garedig eto
    Gyda thalcen noeth y tŷ,
Ond ddaw neb i'r fâl a'i farlys,
    A'r hen olwyn fawr ni thry;
Lle dôi gwenith gwyn Llanrhiain
    Derfyn haf yn llwythi cras,
Ni cheir mwy ond tres o wymon
    Gydag ambell frwynen las.

Segur faen sy'n gwylio'r fangre
    Yn y curlaw mawr a'r gwynt,
Dilythyren garreg goffa
    O'r amseroedd difyr gynt;
Ond does neb yn malu,
    Namyn amser swrth a'r hin
Wrthi'n chwalu ac yn malu,
    Malu'r felin yn Nhre-fin.

Crwys

81

Llanfair-ar-y-Bryn

Ag olion y Rhufeiniwr yn ei gro,
    A gwaith ei ddwylo ar ei meini hen,
Daw noddwyr y memrynau heibio ar dro
    I ddiogelu cyfoeth prin ei llên;
Mae Cannwyll yr hen Ficer ynddi ynghŷn
    Yn gloywi'r mur mewn trilliw dyfna'u rhyw,
A'r Pêr Ganiedydd, er ynghwsg tan chwyn,
    Yn ffenestr olau yng nghynteddau'i Dduw.

A heddiw, uwchlaw llesgedd mawl a chân,
    Fe dreiddia'r dwyfol ddawn i bellter byd,
Ac ni ddaw'r gwyntoedd na llifddyfroedd Brân
    I siglo'r sail a gadarnhawyd cyd;
Ac yma ar y Bryn dan frigog goed
Llefara Duw'n fwy hyglyw nag erioed.

S. Gwilly Davies

Englynion i Lys Ifor Hael

Llys Ifor Hael, gwael yw'r gwedd – yn garnau
    Mewn gwerni mae'n gorwedd,
  Drain ac ysgall mall a'i medd
  Mieri lle bu mawredd.

Yno nid oes awenydd – na beirddion,
    Na byrddau llawenydd,
  Nac aur, ei magwyrydd,
  Na mael, na gŵr hael a'i rhydd.

I Ddafydd gelfydd ei gân – oer ofid
    Roi Ifor mewn graean;
  Y llwybrau gynt lle bu'r gân
  Yw lleoedd y dylluan.

Er bri arglwyddi byr-glod – eu mawredd
    A'u muriau sy'n darfod;
  Lle rhyfedd i falchder fod
  Yw teiau ar y tywod.

Ieuan Brydydd Hir

Abaty Talyllychau

Aeth hedd yr hwyr i mewn i'th hanfod di,
    Grair y canrifoedd pell; mae rhwysg dy ddydd
Yn llonydd fel y llychau wrth dy ddôr, –
Yn esmwyth dawel fel hir hun dy gôr.

Ni chluda'r awel mwy d'offeren ddwys,
    A mud yw lleisiau clir d'abadau di,
Ciliodd cyfrinach y memrynau lu,
A llawer gem o drysor oes a fu.

Dy hyfryd hwyr sy'n hir a'th nos yn fwyn,
    Grair tangnefeddus y canrifoedd pell,
Murddun a mynach mud, abad a bedd,
Henaint a hun, y distaw hwyr a'i hedd.

H. Meurig Evans

Aberdaron

Pan fwyf yn hen a pharchus,
    Ag arian yn fy nghod,
A phob beirniadaeth drosodd
    A phawb yn canu 'nghlod,
Mi brynaf fwthyn unig
    Heb ddim o flaen ei ddôr
Ond creigiau Aberdaron
    A thonnau gwyllt y môr.

Pan fwyf yn hen a pharchus,
    A'm gwaed yn llifo'n oer,
A'm calon heb gyflymu
    Wrth wylied codi'r lloer,
Bydd gobaith im bryd hynny
    Mewn bwthyn sydd â'i ddôr
At greigiau Aberdaron
    A thonnau gwyllt y môr.

Pan fwyf yn hen a pharchus
    Tu hwnt i fawl a sen,
A'm cân yn ôl y patrwm
    A'i hangerdd oll ar ben,
Bydd gobaith im bryd hynny
    Mewn bwthyn sydd â'i ddôr
At greigiau Aberdaron
    A thonnau gwyllt y môr.

Oblegid mi gaf yno
   Yng nghri'r ystormus wynt
Adlais o'r hen wrthryfel
   A wybu f'enaid gynt.
A chanaf â'r hen angerdd
   Wrth syllu tua'r ddôr
Ar greigiau Aberdaron
   A thonnau gwyllt y môr.

Cynan

Tryweryn

Nid oes inni le i ddianc,
Nid un Tryweryn yw'n tranc,
Nid un cwm ond ein cymoedd.
O blwyf i blwyf heb na bloedd
Na ffws y troir yn ffosil
Nid un lle ond ein holl hil.

Boddir Eryri'r awron,
Nid ynys mo Ynys Môn.
I dir Llŷn daw'r lli anial
Heb angor Dwyfor i'n dal
Wrth harbwr iaith, wrth barhad
A thirwedd ein gwneuthuriad.

Fesul tŷ nid fesul ton
Y daw'r môr dros dir Meirion;
Môr o wacter Cymreictod,
Môr na bydd un Cymro'n bod
Ar ei lan diorwel o
Un diwedydd dihidio.

O ddyddyn i ddyddyn daeth
Diwreiddio'n daearyddiaeth.
Yn y Llwyndu mae Llundain,
Mae acen Bryste'n Llwyn Brain,
Lerpwl mwy sy'n Adwy'r Nant,
Manceinion ym Mhenceunant.

Mor glên am aur gelynion
Ac mor rhad yw'r Gymru hon;
Cymru ddrud ein hunfryd hedd,
Cymru rad ein cymrodedd;
Mor glên yw ei thrueni,
Mor rhad yw ei marw hi.

Nid yw'n y pris bris ein brad;
Am hynny, trwy'n dymuniad
Awn dan y dŵr, cydio'n dynn
Yn ein celc, heb un cilcyn
O ddaear, heb le i ddianc
Ond un Tryweryn ein tranc.

Gerallt Lloyd Owen

Gadael Cymru

Fe'i ganed yn Gymro yng Nghymru
    Ac yfodd ei llymru a'i llaeth,
Gan dyfu yn dalach na'i frodyr
    A'i fryd ar ragori'n ei chwaeth:
Rhoes olau ei lygaid i'r gwledydd
    Sydd ganmwy na'i henwlad ei hun,
Rhoes lendid ei aelwyd i'r estron
    A'i chroeso i lonni ei lun.

Bu fyw ym mro Dafydd ap Gwilym
    Heb yngan ei gywydd gwin;
Ni welodd farchogion Arthur
    Wrth edrych ymhell dros y ffin.
Bu'n darllen y Llyfrau Gleision
    Heb deimlo na briw na brad,
A mynych ei daith i Landdewi
    Heb gyfarch Nawddsant y wlad.

Difwynodd acenion ei heniaith,
    Aeth emyn ac adnod o'i go';
A chrwydrodd o nef ei hynafiaid
    Pan giliodd o gapel ei fro.
Mae heddiw yn ddall yn ei gornel
    A'i glust wrth y radio a'i si,
Ac er iddo aros yng Nghymru
    Mae wedi ymadael â hi.

Jac Evans

Traeth (Cwmtydu)

Traeth bach mewn hen gilfach gudd,
Â geirwon greigiau'n geyrydd.
Bro ddi-stŵr beirdd a stori,
Dyna oedd Cwmtydu i ni
Un waith, cyn i'r estron hy
Ei ddwyn a'i lwyr feddiannu;
Rhoi'i orthrwm ar ein cwm cêl,
Ei dai a'i odyn dawel.
Rhyw anniddan dyrfa'n dod
A thraed dieithr ar dywod
Heli a chraig a hawliant
Dileu'n hiaith a'i hedliw wnant.

Ond ieir haf ydyw'r rhai hyn,
Daw adeg eu mynd wedyn.
Rhoi ffarwel i'r môr heli,
Rhoi'r gorffennol nôl i ni
A chaf innau serch f'henaint,
Rodio'r fro a'i chyfri'n fraint.

★ ★ ★

Ger y môr, fel cysegr y mae
Yr enwog Graig-yr-enwau.
Mae'r enwau'n y môr heno
'N rhan o'i fân ronynnau fo;
Gyr y glaw ar y graig wleb
Y rhain oddiar ei hwyneb,

A myn y dicllon donnau
Eu llyfu nhw a'u llyfnhau,
Gwelir cyn hir y graig hen
A'i noeth war heb lythyren.

★   ★   ★

Nawr mae hwyr ar y marian
Difwstwr, a'r dŵr ar dân;
A mi'n aros mewn hiraeth
A neb mwy yn tramwy'r traeth.
Wedi mynd am ysbaid mae
Croch wŷr y ceir a'u chwarae,
A'r gornel ger yr heli
Sy'n eiddo'r morlo a mi.

★   ★   ★

Mae'r byd a wyddom ar ben,
A thrai ar deithi'r Awen;
Dwg diwylliant trwstan tre
Fy iaith o lannau'r Fothe.
Ai ffawd y 'Gwmrag' ragor
Ydyw mynd yn swnd y môr,
Yn farw yn nwfn y foryd,
Ac ar goll ei geiriau i gyd?

★   ★   ★

Holi? Dim ond tawelwch!
A chysgodion hyd ro'n drwch.

T. Llew Jones

Cofio

Un funud fach cyn elo'r haul i'w orwel,
　　Un funud fwyn cyn delo'r hwyr i'w hynt,
I gofio am y pethau anghofiedig
　　Ar goll yn awr yn llwch yr amser gynt.

Fel ewyn ton a dyr ar draethell unig,
　　Fel cân y gwynt lle nad oes glust a glyw,
Mi wn eu bod yn galw'n ofer arnom,
　　Hen bethau anghofiedig dynol ryw.

Camp a chelfyddyd y cenhedloedd cynnar,
　　Anheddau bychain a neuaddau mawr,
Y chwedlau cain a chwalwyd ers canrifoedd,
　　Y duwiau na ŵyr neb amdanynt 'nawr.

A geiriau bach hen ieithoedd diflanedig,
　　Hoyw yng ngenau dynion oeddynt hwy,
A thlws i'r glust ym mharabl plant bychain,
　　Ond tafod neb ni eilw arnynt mwy.

O genedlaethau dirifedi daear,
　　A'u breuddwyd dwyfol a'u dwyfoldeb brau,
A erys ond tawelwch i'r calonnau
　　Fu gynt yn llawenychu a thristáu?

Mynych ym mrig yr hwyr, a mi yn unig,
　　Daw hiraeth am eich 'nabod chwi bob un.
A oes a'ch deil o hyd mewn cof a chalon,
　　Hen bethau anghofiedig teulu dyn?

Waldo

Hen Lyfr Darllen

Roedd ynddo luniau: llun hwyaden dew
Yn nofio'n braf i rywle, a llun llew;
Llun arth a theigar ffyrnig ac eliffant,
A llun rhyw glocsen fawr a'i llond o blant.

A chyda gwialen fedw o flaen y rhain
Safai hen wraig annifyr fel fy nain.
Roedd hon yn amlwg newydd ddweud y drefn,
A phawb o'r plant yn chwerthin yn ei chefn.

Llun nyth, llun oen. Ond gwell na'r cwbl i gyd
Oedd llun rhyw wraig yn nôr rhyw fwthyn clyd.
Roedd honno, fel fy mam, yn ddynes glws,
A bwydo'r ieir yr oedd ar ben y drws.

Ac mi ddymunais ddianc lawer gwaith
Yno lle nad oedd gwers na chosb ychwaith.
Wrth ddysgu cyfrif ac wrth aros cweir
Hiraethwn fyth am fod lle'r oedd yr ieir.

A thyngu wnes yr awn, pan fyddwn ddyn,
I chwilio am y lle oedd yn y llun.
Yn rhywle braf yr oedd; ar ael y bryn
Neu wrth eu droed, efallai ar fin llyn.

O hynny hyd yn awr mi dreuliais derm
Mewn llawer tyddyn mwyn a llawer fferm,
Ym Mhenllyn Meirion, ac ym Maldwyn, do,
Ym Mhen-y-Llyn yn Arfon ar fy nhro.

Ni welais byth mo'r bwth, rwy'n eithaf siŵr,
Ar fin y mynydd nac ar lan y dŵr.
Rhyw adfail rhaid ei fod, y bwthyn cu,
Heb fawr ohono bellach ond lle bu.

Ond ambell dro pan gân y gwynt ei grwth,
Ei fiwsig ef ailgyfyd furiau'r bwth;
Fe gasgl yr ieir o'r cae a'r ieir o'r côr,
Ac eilwaith saif y ddynes yn y ddôr.

R. Williams Parry

Y Gegin Gynt yn yr
Amgueddfa Genedlaethol

Araf y tipia'r cloc yr oriau meithion,
 Distaw yw'r droëll wedi'r nyddu'n awr:
Tawel yw'r baban dan ei gwrlid weithion,
 Nid oes a blygo tros y Beibl mawr.
Mae'r dresal loyw yn llawn o lestri gleision,
 A'r tsieni yn y cwpwrdd bach i gyd;
Ffiolau ar ford yn disgwyl cwmni'r gweision –
 A'r tecell bach, er hynny, yn hollol fud.
A ddowch chwi i mewn, hen bobol, eto i'ch cegin,
 O'r ffald a'r beudy llawn, o drin y cnwd?
Brysia, fy morwyn fach i, dwg y fegin
 I ennyn fflamau yn y fawnen frwd.
Nid oes a'm hetyb ond tipiadau'r cloc,
Ai oddi cartref pawb? Dic doc, dic doc.

Iorwerth C. Peate

Yr Hen Amser Gynt

Ni chlywa'r crïoedd dynol yn ein stryd
    A garwn gynt, yn hogyn, yn fy mro,
Bloeddnad y gwerthwyr a grynai'r tai i gyd
    Wrth gynnig mecryll, rhython, calch a glo:
Ac aeth yr hyrdi-gyrdi i'r wlad hud
    Tros donnau'r môr, a'i miwsig gyda hi,
A'r gwŷr a leisiai gerdd sydd heddiw'n fud,
    Tawodd eu hemyn yn ein tlotai ni:
Ni ddaw'r ceffylau du-a-gwyn yn awr,
    Y llewod llwyd â'u rhu a'r clown â'i lef,
A symud trwsgl yr eliffantiaid mawr
    Pan âi gorymdaith syrcas hyd y dref.
Ffoesant rhag prysurdeb ein dyddiau chwyrn,
Rhag rhuthr y ceir a'u diamynedd gyrn.

Gwenallt

Cwm Tawelwch

(Detholiad)

I ble yr ei di, fab y fföedigaeth,
A'th gar salŵn yn hymian ar y rhiw
A lludded yn dy lygaid?

Rwy'n chwilio am y Cwm
Tu draw i'r cymoedd,
Am Gwm Tawelwch:
Rhyw bowlen fach o ddyffryn
Rhwng ymylon du y pîn,
Lle nad oes leisiau
Ond y lleisiau sy'n diddanu,
Na dim nad yw yn gweddu i'r lle.
Cawn yno sgwrs â'm henaid
A hoe i drefnu 'mhecyn at y dywyll daith,
A meddu'r pethau
A wnaed â dyfal bwyll
A'u graen yn para.
Mae yno osteg ar lan llyn
A gwrych i dorri croen y gwynt;
Mae yno aerwy ffeind
I'm dal yn rhwym wrth byst hen byrth.

Rwy'n ceisio'r chwerthin
A wybu 'nghalon unwaith,
A'r tosturiaethau
A oedd dan ddistiau tŷ fy nhad.

Gwilym R. Jones

Mae Hiraeth yn y Môr

Mae hiraeth yn y môr a'r mynydd maith,
    Mae hiraeth mewn distawrwydd ac mewn cân,
Mewn murmur dyfroedd ar dragywydd daith,
    Yn oriau'r machlud, ac yn fflamau'r tân:
Ond mwynaf yn y gwynt y dwed ei gŵyn,
    A thristaf yn yr hesg y cwyna'r gwynt,
Gan ddeffro adlais adlais yn y brwyn,
    Ac yn y galon atgof atgof gynt.
Fel pan wrandawer yn y cyfddydd hir
    Ar gân y ceiliog yn y glwyd gerllaw
Yn deffro caniad ar ôl caniad clir
    O'r gerddi agos, nes o'r llechwedd draw
Y cwyd un olaf ei leferydd ef,
A mwynder trist y pellter yn ei lef.

R. Williams Parry

I Gyfarch T. Llew Jones yn 90 oed

Fe fentrwn pan oeddwn iau law yn llaw
    â T. Llew ar deithiau
    ymysg lladron y tonnau
    wrth i'r cyfnos agosáu.

Ac i fyd o ogofâu y rhwyfem
    rhywfodd at drysorau
    cudd a newydd gan fwynhau
    yr ofon yn y rhwyfau.

Ond byw dan gysgod bwyÿll yn amal
    a wnaem, neu'n wir, cyllyll;
    ac o dro i dro roedd dryll
    yn duo'r noson dywyll . . .

lle'r oedd ffordd arall ar waith, ffordd carnau
    ceffylau'n ffoi eilwaith;
    ffordd beryglus, felys, faith,
    ac un i'w dilyn ganwaith.

Ond yna fe sbardunem: y siwrne
    i Blasywernen 'welem;
    neu liw hwyr, mewn storom lem,
    ar olwyn sipsi'r elem.

Ac aem, er mwyn gwrando ar gân adar,
    i goed Cwmalltcafan
    gyda'u mil o nodau mân –
    a Llew fel cri'r dylluan.

Troi'r iaith yn anturiaethau a wnâi Llew,
        troi'r lleuad yn olau;
    troi tyrfa Beca a'r bae
    yn arwyr, nid yn eiriau.

A gwn nad dychymyg yw yr arwyr
        a erys hyd heddiw:
    yn ei fêr y maent yn fyw,
    darn ydynt o'r hyn ydyw.

Y mae Alf a Tim ei hun o'i fewn ef
        yn un ar y comin:
    y bachgen a'r gŵr penwyn
    naw deg oed yn un deg un.

Ceri Wyn Jones

Cywydd Mawl i'r Llywydd
(Er Anrhydedd)

Ni chynhwysaf y cywydd nesaf i dynnu sylw ataf fy hun, ond i ddangos y gamp oedd ar rai o'r cerddi cyfarch. Daeth hwn ataf drwy'r post o dan ffugenw 'Cywaith Ianws yr Ail'. Ni chefais wybod erioed pwy a luniodd y cywydd ond rhaid bod mwy nag un bardd wedi bod wrtho − mae 'cywaith' yn cyfaddef hynny. Mae'n sôn am gythrwfl a fu rhyngof a rhai o wŷr blaenllaw'r Orsedd. Yn achos Gwyndaf yn arbennig bu dadlau ffyrnig dros gadw'r 'mesurau caeth' i gystadleuaeth y Gadair. 'Growsen' yw gwydryn o wisgi 'Famous Grouse'.

'Am fy Arwr myfyriaf',
Llunio awdl i'r Llew a wnaf;
Anrhydeddus ŵr diddan,
Eingion cerdd teilwng o'n cân;
Oni hawlia'i athrylith
Gael dyfal glod fel y gwlith?

Y dewr Lew, ac nid rhyw lug,
Gorfforol gawr a pheryg!
Ei gweir a roes i Geraint
A'i daro'n fud. Yr un faint,
A'r un fath, oedd brath ei brôs
Wrth lorio'r erthyl Euros;
O'i ffau dangosodd yn ffêr
I Wyndaf ei fychander,

101

Wedi hyn bydd gweld ei wedd
Yn arswyd Bwrdd yr Orsedd!
Yn nhrin â'r Llew brenhinol,
Ofer i neb fwrw nôl!

Yn y 'Pentre' 'n hamddena
Ceir o a Dic a'r criw da,
Yn yfed a thrin hefyd
Uwch eu gwydrau, 'bethau' 'u byd,
A'r Prifardd hardd a rydd wên
Ei groeso i bob growsen!
Llawn o gamp llinellau'n gwau
Yw'r nos–Sadwrn–seiadau;
Na 'thad' y Seiad – oes well
Am lunio gwenfflam linell?
Llawn cystal â Jac Alun,
Onid cuwch â Dic ei hun?

Mae'n arddel Teulu'r 'Felin',
Rhai go hoff o fir a gwin;
Rhai 'gwlyb' – go ddrwg y label!
Eu hanes hwy fo dan sêl!

Ei frawd o fri yw Edwin,
Gwron braf nas ceir yn brin
Pan fo'r glorian otano
Yn pwyso'i hael gorpws o.
Reit deilwng yw o'r Tylwyth,
Er hyn – Llew yw teyrn y llwyth!

Mi a wn, pes dymunai
'N Archdderwydd yn rhwydd yr âi,
Na Llew pwy mor alluog?
Neu well llais ar y Maen Llog?
On'd da'i weld ar Ŵyl Awst deg
Yn frenin mewn dwyfronneg?
Y dawnus drefnwr dynion,
Yn foi mwy na Hwfa Môn?

A fo hardd, ef a'i harddel,
A fo goeg efe a'i gwêl,
A fo rhemp, efe o raid,
Neu fo diwerth – fe'i dywaid!
Ac ar ei war garwhau
Wna'i fwng mewn argyfyngau!

Yn awr rhwydd hynt i'r bardd, a hwyl
I'w dyner Farged annwyl.

Anhysbys

Y Critig a'r Bardd

Paham rwyt ti'n mynnu canu
    Yn dy acen wledig, ddof,
A mydru'r gwres a'r rhamant
    A fu yma er cyn cof?

'Am mai dyma'r hyn a roddwyd
    I mi'n waddol gan fy Nuw,
Y ddidor gadwyn werin
    A gafael daear fyw.'

Oni wyddost ti fod Awen
    Yng ngwres y niwclear dân,
Yng ngwib yr adar roced
    A'u marwnadol gân?

'Digon i mi y "Bydded"
    A ddeil yn wyryf wyrth,
A churo'r funud ddistaw
    Ar dderi'r mewnol byrth.'

Mae'r clai yn llaw'r gwyddonydd
    I tithau'n sgerbwd, fardd,
A phapur yw petalau
    Y blodau sy'n dy ardd.

'Rhad Duw ar eli Fleming
    A phob gwyddonol falm:
Mi fynnaf gerdd i'm gwreiddiau
    Mor newydd-hen â'r salm.'

John Roderick Rees

104

Y Nadolig

(. . . a chofio John Brown, crwydryn ffyddlon ei ymweliadau
â'r Cilie 'slawer dydd. Dechreuodd gerdded y ffordd fawr o
Ddowlais, meddai ef, ac wedi hir deithio bu farw'r
Gwyddel rhadlon hwn yn nhloty Llanbedr Pont Steffan yn
ugeiniau'r ganrif ddiwethaf.)

Fe'i cofiaf yn dod fel 'tai neithiwr,
Gan ganu ei bibell dun,
A gwyddem i gyd mai'r hen deithiwr
Oedd yno yn ymyl y llyn.

'Irish Jig' oedd ei ddewis fel rheol
Wrth nesu at iet y clos,
Ond heno 'Adeste fideles'
A glywir yn awyr y nos.

Fe wyddai fod gwellt yn y sgubor
Lle gawsai lety di-dâl,
A bod tocyn o gaws a chawl eildwym
Cyn iddo noswylio i'w wâl.

Ac yno, a Moss iddo'n gwmni,
Y cysgai'r hen grwydryn llwm;
Y lluwch yn toi Banc Llywelyn
A'r deri'n feddw'n y cwm.

Bydd blas ar y twrci yfory,
A phawb ynghyd o'r hen ach;
Ac yntau, wrth gwrs, yr un ffunud,
Ond ei fod yn y Gegin Fach.

Blagardied y gwynt yn y coedydd,
A rhwyged taranau a mellt,
Os caf fynd yn ôl i'm Nadolig
A John Brown yn cysgu'n y gwellt.

S. B. Jones

Meddyliau

(Er cof am Thomas Lyn Evans, gynt o Maesawelon, Pentrecwrt, cyfaill bore oes cywir iawn a'r aelod olaf ond un o dîm criced enwog y pentre hwnnw slawer dydd.)

Mae'n brynhawn o haf (un o hafau digwmwl
ein llencyndod). Mae'r lawnt ar lan Teifi'n
wyrddlas a'r llain wedi ei thrwsio a'i rowlio'n
wastad ar gyfer y gêm.

Ond ble maen nhw dwedwch?
Maen nhw'n hwyr yn dod . . .

Mae bechgyn Maesyrafon
Yn eisiau, Jim a Sam,
Na, ddôn nhw ddim rwy'n ofni
A gwn yn iawn paham.

Dai bach o Bwlchafallen,
Wicedwr gorau'r byd,
Tom Bercoed, Dai Glyncaled,
O'r tîm ar goll i gyd.

A nawr Lyn Maesawelon
Yr aelod mwyaf triw,
Pa les yw bod yn gapten⋆
Ar long heb arni griw?

⋆Yr awdwr oedd y capten.

Ond weithiau rwy'n breuddwydio
Am lawnt drwsiedig, lefn,
A'r chwarae yn ei anterth
A'r tîm yn llawn drachefn.

Haul Awst uwch dyffryn Teifi
A'r awel fel y gwin,
A sŵn y bat yn eco
A'r bêl yn croesi'r ffin.

Ond wedyn bydd rhaid derbyn
Y ffaith, heb ei nacáu,
Mae'r *innings* wedi gorffen
A'r batiad wedi cau.

A phan af innau hefyd
Dan do'r dywarchen las
Fe ddaw'r hen ŵr a'i bladur
I rwbio'n henwau mas.

T. Llew Jones

Yr Hen Fedel (o 'Fy Nymuniad')

Ar fore gwyn cynhaeaf
Fe redwn fel yr hydd
I alw'r fedel ffyddlon,
Sef Beti'r Gweydd a'r Crydd;
Y pen-pladurwr Dafydd
Anfarwol o Landŵr,
A Mari'r wraig yn dilyn
Yn dynn wrth sodlau'i gŵr.

Rhaid galw'r pererinion
Bob un o'r cwm i'r lan;
Daw Shincyn fawr y Penplas
A'i foneddigaidd Ann;
A Mari fach daranus
Ei thafod o'r Plas-bach,
I ddringo rhiw y Cilie
Â'i chlocs a'i ffedog sach.

Ar ddiwedd fy nghenhadaeth
Rwy'n galw'n Nhroed-y-rhiw,
Mae'n rhaid cael Shincyn Lewis
Yn gapten ar y criw.
Ac wele'r pererinion
Yn dorf gariadus, gu
O dan yr haul eiriasboeth
Yn rhwymo ym Mharc Gaer-ddu.

★ ★ ★

Mae'r hen gyfeillion annwyl
Yn ddistaw yn y gro,
Y dwylo diwyd, gonest
A'r genau ffraeth ynghlô.
A phan af innau atynt
A gorwedd gyda hwy,
Fydd neb i ddweud yr hanes
Am 'run ohonom mwy.

Mae'r hen Gwm-coch yn garnedd,
Cwmsgôg yn chwalfa sydd;
A'r danadl a'r mieri
Yn llanw gweithdy'r Crydd.
Mae Beti wedi tewi
A'r Crydd nid ydyw mwy,
Ac nid yw'r darlun heddiw
Yn gyfan hebddynt hwy.

Os af i byth i'r nefoedd,
Fel rwyf yn sicr y caf,
Cans yno mae 'nghyfeillion,
I mewn i'w plith yr af;
Mwynhau yr hen amgylchedd
A'r hyfryd olygfeydd
A chwilio lle i eistedd
Wrth ochor Beti'r Gweydd.

Bydd Shincyn Lewis yno
I'm tywys ar fy hynt,
A'i gyngor a'i orchymyn
Fel yn y dyddiau gynt.
Y Crydd a Shincyn Penplas,
Plasbach a phawb ynghyd –
Y darlun eto'n gyfan
A'r fedel yno i gyd.

Isfoel

Y Cwch Olaf

(Yn iaith hen longwyr y Borth, wrth edrych ar gwch
olaf y tymor yn gadael y lanfa am Lerpwl)

Ma' hi'n mynd o'r golwg, Huw Gruffydd,
    Fe basith drwyn Penmon fel ffluwch;
Ma' Stafford a fi 'di bod fforin, –
    Be' chi'n sôn am ych Strêts, neno duwch?

Dowch adra am 'panad 'ta, hogia, –
    Dim golwg na sein o'r hen fôt!
Ma'r gwynt wedi oeri 'ma'n barod, –
    Hei, Stafford, côd golar dy gôt!

Un lwc cyn gadal y pïar, –
    Dim ond rhimyn o fwg wrth y bliw!
Ma' 'ma lai yn ffarwelio bob blwyddyn,
    Llai heddiw na 'rioed o'r hen griw.

Cyn daw hon eto i fyny 'ma, hogia,
    O Lerpwl i'r Strêts yn 'i hôl,
Bydd cwch amal un 'di mynd fforin,
    A dim ond 'i wêc ar 'i ôl.

J. Llewelyn Hughes

Gwanwyn

'Mi wellaf pan ddaw'r gwanwyn:
    Bu'r gaeaf 'ma'n un mor hir.
A oes 'na argoel eto
    Fod gwennol yn y tir?
Mae hi'n anodd mendio dim fel hyn
A phen yr Wyddfa i gyd yn wyn.

'Mi ddo' i at y gwanwyn
    A chodi cyn daw'r gog.
Mi ddo' i pan gynhesith
    Yr awel ar y glog.
Mae hi'n anodd mendio dim fel hyn
A phen yr Wyddfa i gyd yn wyn.

'Mi godaf at y gwanwyn:
    A welaist ti oen ar fryn?
On' fydd hi'n braf cael stelcian
    Am dipyn wrth y llyn?
Mae hi'n anodd mendio dim fel hyn
A phen yr Wyddfa i gyd yn wyn.'

★   ★   ★

Ni ddaeth rhyfeddod gwanwyn
    Â gwrid yn ôl i'w wedd:
Ond pnawn o Ebrill tyner
    A'n dug ni at ei fedd.
A chanai'r gog yng Nghoed y Ffridd
Pan glywn i'r arch yn crafu'r pridd.

T. Rowland Hughes

Gofal

(Fe gwsg galar ni chwsg gofal)

Yn oriau hir y gofal
Roedd doe yn atgo tlws,
Roedd Gofal wrth y gwely
A Galar wrth y drws.

Man lle bu dau obennydd,
Heno nid oes ond un,
A Galar wedi cysgu
Lle roedd Gofal ar ddihun.

Dic Jones

Mam

Wylais wrth weld ei chlai
Yn ei garchar pren,
Mor oer,
Heb gyffro bywyd na sirioldeb mwy.

Ffyddiog oedd llais yr Offeiriad,
'Efe a heuir mewn llygredigaeth
Ac a gyfodir mewn anllygredigaeth . . .'

Ond oni welsom ni,
Trwy fisoedd ei chystudd,
Y gwyfyn yn datod
Ei hardderchowgrwydd
Yn difa'i deunydd?

Oni welsom y golau yn ei llygaid
Yn pylu ac yn diffodd?

Ac eto . . .

Yn dwyn ei harch
Roedd ei hwyrion cyhyrog hi;
Meibion ei meibion oeddynt;
Ac onid ei gwaed hi
Oedd yn fwrlwm yn eu gwythiennau hwy?

A thu ôl i'w harch fudan,
Yn lluniaidd a theg,
Fel merched Jeriwsalem,
Y rhai a ddilladai Saul ag ysgarlad,
Cerddai ei hwyresau swil,
Sef plant ei phlant,
A'u plant hwythau.

A hwy fydd etifeddion y ddaear;
A hwy a fwriant had,
Ac a ddygant ffrwyth;
A llinynnau ei chadernid hi
A fydd arnynt.

Ac am ei bod hi'n wâr, a thrugarog a thriw,
Felly y byddant hwythau hefyd.
A bydd tiriondeb lle trigant,
A'r ddaear a flodeua'n ardd dan eu traed.

A bydd hi,
Y fwyn fam,
Yno yn ei chanol,
Yn briffordd a ffordd,
Yn ddolen â'r gorffennol,
Yn seren yn ffurfafen eu nos,
Yn ofal uwch pob crud newydd.

Ewch â'r arch i'r pridd,
A rhowch orffwys i'r cnawd cystuddiedig;
Ac nid wylaf mwy.

Canys
Y mae Mam yma o hyd
Yn ynni mawr yn ein mysg.

T. Llew Jones

Yn Angladd Mam

(ym mynwent Capel Mair)

Heddiw, gwae fi, y rhoddwyd,
Yn oer lain yr hen erw lwyd
Fy mwyn fam; honno a fu
'N angyles uwch fy ngwely;
Yr un oedd rhag ofnau'r nos
Aneirif, yno'n aros.

Fy nghraig wen, fy angor gynt,
A ddaliai yn nydd helynt,
Fy encil ben bwy gilydd
Caer fy nos, swcwr fy nydd.

Di-feddwl-ddrwg, di-wg oedd
A model o fam ydoedd,
Ow'r ing tost rhoi pridd drosti!
Archoll oer ei cholli hi.

Er i mi hir grwydro 'mhell, –
I'm cam bydd mwy i'm cymell
Adre'n ôl, – un darn o âr,
Anwyle fy nwfn alar;
Yno gwn fe'm deil yn gaeth
I'w hoff weryd – raff hiraeth.

T. Llew Jones

'Nhad

Yn niniweidrwydd hogyn, bach yw'r co'
Amdano'n gawr yn dechrau colli tir;
Cyrchwn â'i stôl i'w ddilyn maes am dro
Tan wenau'r heulwen ambell nawnddydd clir.
Rhedwn i weld y defaid tros y lle
A bwydo yr ebolion gyda gra'n,
A brysio'n ôl â'r cronicl iddo fe
I'r parlwr lle'r eisteddai wrth y tân.
Bryd arall codai gyda'i ffon
I edrych sut y rhedai'r fferm ei thaith,
A gweld ble roedd y bechgyn hŷn ar hon
A oeddynt hwy'n prysuro gyda'u gwaith.
A'i gofio'n cau ei drem un bore Llun,
A chodi i'r angladd, fawr a bach bob un.

Siors Gaenwen

Mam

Cyntaf yn codi, ac 'rôl cynnau tân
Allan tan lofft y storws â'r coes brws:
'Dewch nawr, bois bach, mae hwn a hwn ymla'n
Yn 'redig ar y maes,' ond ni wnai ffws;
Yna i'r 'sgubor gyda'i ffedog fawr
I gyrchu bwyd i'r ffowls oedd ar y clôs,
Rheini yn sgramio o'i hamgylch ar y llawr
Fel y taflai'r bwyd i'w porthi mor jecôs.
Ac wedi cinio'n dirwyn yn brynhawn
Tynnai'r 'ford rownd' ymlaen i'r aelwyd glyd,
A chyda'i sbectol gwnïo'n brysur iawn
Pwythai i ffwrdd at reidiau'r dwylo i gyd;
A'r hwyr, 'rôl bwrw o bawb i drampio allan
Noswyliai'n fodlon fel yr haul diffwdan.

Siors Gaerwen

120

Colli Marged

Yn ddigymar yma rwy – 'n hen a gwan
    Ac unig fel meudwy;
   Daeth ysgariad ofnadwy,
   Mae'n galed heb Marged mwy.

Ysgariad heb gas gweryl – fu hwnnw
    Wyf heno mewn helbul
   A thi 'mhell. Ond caf gell gul
   Ymhen dim, yn dy ymyl.

T. Llew Jones

Y Ceiliog Mwyalch

(O'i glywed yn canu fin nos yn ymyl Pentalar, hen gartref y diweddar Alun Cilie, a ganodd sawl cywydd ac englyn o fawl i'r un aderyn)

Canodd dy geiliog neithiwr
　　O'r dderwen ger Dôl Nant
Ag afiaith hafau'r oesoedd
　　Yn ei gyforiog dant.

Canodd â'r cwm yn astud
　　Yn gwrando'i euraid grwth,
Fel pe i'th ddenu eto
　　I'w wrando wrth ddôr dy fwth.

Canodd fel petai'n disgwyl
　　Dy gywydd mawl fel cynt,
Heb wybod dim am elor
　　A'r hen, ddiddychwel hynt.

Canodd dy fwyalch neithiwr
　　Anfarwol fawl i ti,
A thalu'r pwyth, hen gyfaill,
　　Megis na fedraf fi.

T. Llew Jones

Angladd yn y Dref

Rhes ddiddiwedd o gerbydau,
   Neb yn gofyn pwy na ph'le,
Rhywrai'n hebrwng rhywun, rywle,
   Ydyw angladd yn y dre.

Ac er mynd ar hanner carlam,
   Cwyna'r llu mai araf yw,
Duw'n gwaredo rhag cael angladd
   Na bo ddim ond rhwystr i'r byw.

Rhowch i mi'r cynhebrwng gwledig,
   Pawb a allo yno 'nghyd,
Heol gyfan iddo'i hunan
   A'r diwrnod ar ei hyd.

Crwys

Y Mileniwm

Ugain canrif a rifwyd
A gwacau wna'n llannau llwyd,
Oed Crist yn ddwyfil, ond cred
Yn Ei Air ar i waered.
Hen ing Ei Groes yn ango'
A'n byd i gyd mas o'i go'.
Mileniwm o hirlwm yw,
Ac adeg o wae ydyw.

Gan rai anwar, di-gariad
Difwynir tir ein treftad,
Mae'i herwau'n llawn amhuredd,
A drewdod malltod a'i medd.

Holi wnawn, a wêl ein hil
Ddioddefaint hwnt i'r ddwyfil?
Neu a ddaw i'n hen ddaear
I'w hachub hi, gewri gwâr?

Ddaw i Ddyn tragywydd ddall,
O'i flerwch, gyfle arall?
Cyfle ar ei wanc a'i flys?
Llaw Duw o'i goll i'w dywys?

Os daw, gall fod dyfodol
I'r blaned hon eto'n ôl;
Gall fod, er y malltod maith
A'r rwbel, wefr o obaith!

Ac i'r gwan a'r bychan bydd
Mileniwm o lawenydd.

T. Llew Jones

Delyth (fy merch) yn Ddeunaw Oed

Deunaw oed yn ei hyder, – deunaw oed
    Yn ei holl ysblander,
     Dy ddeunaw oed boed yn bêr,
    Yn baradwys ddibryder.

Deunaw – y marc dewinol, – dod i oed
    Y dyheu tragwyddol,
     Deunaw oed, y deniadol,
    Deunaw oed nad yw'n dod 'nôl.

Deunaw oed, – dyna adeg, – deunaw oed
    Ni wêl ond yr anrheg,
     Deunaw oed dy i'engoed teg,
    Deunaw oed yn ehedeg.

Echdoe'n faban ein hanwes, – ymhen dim
    Yn damaid o lances,
     Yna'r aeth y dyddiau'n rhes,
    Ddoe'n ddeunaw, heddiw'n ddynes.

Deunaw oed yw ein hedyn, – deunaw oed
    Gado nyth y 'deryn,
     Deunaw oed yn mynd yn hŷn,
    Deunaw oed yn iau wedyn.

Deunaw oed ein cariad ni, – deunaw oed
    Ein hir ddisgwyl wrthi,
  Deunaw oed yn dynodi,
  Deunaw oed fy henoed i.

Dic Jones

Ym Mwlch y Blynyddoedd

Wrth i 'leni lithro i gôl hanes
a chysgu ym mreichiau ddoe,
wrth i'r flwyddyn newydd ddihuno –
arhosa, a chymer hoe

cyn camu'n daliedd dros y trothwy
rhwng fory a gynnau, am nawr
oeda ac arhosa i ddisgwyl
anadl gyntaf y wawr;

disgwyl am y gwynt yn siarad,
disgwyl am y gair yn ei gân,
y gair mud na all ein gramadeg
mo'i hollti'n sillafau mân;

disgwyl am ei sibrwd ysgafn,
am yr ystyr sy'n hŷn na iaith,
yr arwydd sy'n dweud lle mae'r dechrau
a lle mae diwedd y daith;

ar drothwy drws y blynyddoedd,
rhwng cofleidio a chanu'n iach,
o'i ddisgwyl, fe gei di ei glywed,
pe bai ond am eiliad fach;

am mai disgwyl, disgwyl amdano,
yw gobeithio a gwybod yn un,
ac yma ym mwlch y blynyddoedd,
daw'r gair i'th enaid dy hun.

Mererid Hopwood

Dymuna Gwasg Gomer gydnabod cydweithrediad hael y beirdd a'r gweisg a roddodd ganiatâd i waith o dan hawlfraint gael ei gyhoeddi yn y gyfrol hon.